C0-ATD-232

# МАРОСЕЙКА,12

Игорь Голубев

# СЫН____________

Москва
Олимп
Издательство АСТ
2000

УДК 820/89:34
ББК 84(2Рос-Рус)6
Г62

По мотивам сценария
*С. Белошникова, И. Бирюкова и И. Апасяна*

**Голубев И. А.**
Г62 Сын: Роман. — М.: «Издательство «Олимп», «Издательство АСТ», 2000. — 320 с.
ISBN 5-17-004239-6.

У майора налоговой полиции Никиты Орла дел невпроворот. Однако любые, самые срочные дела перестают существовать, если в опасности родной сын. Девятнадцатилетний мальчишка пропадает в ночном клубе, в его вещах обнаружен белый порошок, к тому же он впутался в опасную аферу с шантажом. Мужественный и бескомпромиссный майор стремится в одиночку вытащить из беды сына и распутать криминальный клубок.

**УДК 820/89:34**
**ББК 84(2Рос-Рус)6**

**ISBN 5-17-004239-6 («Издательство АСТ»)**
**ISBN 5-8195-0416-X («Издательство «Олимп»)**

# ГЛАВА 1

Массивная металлическая дверь легко открылась, не издав ни единого звука. Высокий, мощный, уже немолодой мужчина вошел в помещение и тут же закрыл за собой дверь, как бы опасаясь, что кто-то успеет заглянуть внутрь. Оказавшись в полной темноте, он привычным движением руки нащупал выключатель, и яркий потолочный свет залил середину пространства в добрых полтысячи квадратных метров.

Когда-то это помещение служило бомбоубежищем, а сейчас походило на спортивный зал. Прямо под светильниками возвышался огороженный канатами ринг. В полумраке боковой стены помещения просматривалась широкая шведская стенка, на которой, выдвинутые на пару метров в зал, висели два боксерских мешка. Мягкая макивара и штанга под ней заканчивали перечень спортивного инвентаря, находившегося в помещении. Но если это и был спортивный зал, то очень необычный, в привычном понимании этих слов.

Тонкий слой войлока на полу ринга был покрыт туго натянутым брезентом ярко-красного цвета — стойки и канаты были такими же. Вокруг ринга, образуя квадрат, стояло около полусотни мягких кресел, между каждой парой которых находился столик с хорошим спиртным и незатейливой, но дорогой закуской. Чуть поодаль, ближе к двери, находились еще одно, точно такое же, кресло и журнальный стол с прозрачной поверхностью. Вошедший мужчина по-хозяйски обошел вокруг кресел и опустился в одно из них.

Плеснув в массивный стакан коньяку и отхлебнув немного, он погрузился в размышления...

К предстоящему поединку все было приготовлено как надо. Другое дело, что в кресле сидел не любитель предстоящих зрелищ. В прошлом боксер, и боксер с большой буквы, Сиривля Сергей Павлович предпочитал наблюдать бои боксеров, нежели боевые единоборства, хотя и в них он был когда-то не из последних. То, что должно произойти через пару часов на ринге, ему и вовсе не нравилось, но такая у него работа — должен присутствовать. Берешься за гуж, не говори, что не нравится... Хотя о вкусах не спорят. Древние греки тоже нечто подобное смотрели и получали удовольствие.

Сиривля неплохо знал историю единоборств и когда-то подробно ознакомился с панкратионом. Эта борьба входила даже в программу Олимпийских игр. Она появилась позже классики и кулачного боя, частые нарушения правил которых и вызвали к жизни это единоборство, практически без всяких ограничений. Запрещалось, похоже, только выдавливать глаза, раздирать рот и кусаться. Но там стоял судья, готовый ударом прута прервать поединок. В предстоящих поединках никакой судья не предусматривался. Сергею Павловичу недавно и в кошмарном сне не могло присниться, что все это он будет видеть наяву, и не только видеть, но и организовывать. И на кой черт современному человеку подобные ристалища. Хотя, если боксеры, да еще и чемпионы мира, кусать за уши соперников начали, чего же ждать от других поединщиков, да и от зрителей тоже.

Сергей Павлович отхлебнул еще глоток и направился к выходу. Теперь, когда он убедился, что помещение готово, надлежало проверить готовность бойцов, а если что — то успеть сделать замену. Простоя допустить никак нельзя.

Где-то за час до полуночи в зале стали появляться зрители.

Входили, кивком приветствовали присутствующих и не спеша опускались на свободные места. Все делалось без шума и сутолоки. Неторопливо пили, закусывали, ели. Разговоры велись почти шепотом. По всему видно, что все давно и хорошо знают друг друга. Предматчевой суеты не было, так как состав в течение всего времени проведения подобных мероприятий не претерпел изменений. Любители предстоящего зрелища, как и их организаторы, в свои ряды новых не пускали. Зачем? К тому же большие ставки предполагают честную игру, а она, в свою очередь, надежный состав. А что может быть надежнее постоянного. Да и тайна происходящего от этого выигрывала.

Сюда приходили раз в неделю посмотреть для многих недоступное шоу и тем самым пощекотать себе нервы. Разложенные на столиках программки доводили до сведения присутствующих, что в этот день на ринг выйдут бойцы, ни разу в этом зале не выступавшие. Трудно выбирать из новичков, тем более что информация о них была очень скудной — возраст, вес, рост. Фотографии также не могли особенно повлиять на выбор. С программки смотрели четверо разбитых на пары молодых людей, примерно одинаковых, каждый из которых мог вызвать, в зависимости от ситуации, как чувство уважения, так и страха.

— Ну какое у нас на сегодня меню? — спросил, тяжело опускаясь в кресло, солидный мужчина предпенсионного возраста. — Слушай, Миша, а чего же ты в прошлый раз не посетил наше ахиллесово ристалище?

— Дела, Борисыч, дела, — ответил худощавый молодой человек, смотрящий на собеседника сквозь линзы затемненных очков в изящной дорогой оправе. — Кстати, факс от Дэвида я так и не получил.

— И не получишь, он на меня прислал. Я тебе его завтра скину. Попроси утром свою толстозадую, чтобы напомнила.

— Любишь ты кости обсасывать, — вступился за секретаршу Михаил. — Небось и сегодня на жилистого поставишь?

— И поставлю, — после минутного изучения программки решительно заявил толстяк. — Да... Сергей Палыч дело свое знает туго. Любит сюрпризы плосконосый. А во второй паре мне усатый нравится.

Похоже, мы и на этот раз с тобою по разные стороны баррикад окажемся... Что молчишь?

— Ну и что, так смотреть интереснее. К тому же я люблю выигрывать.

— Ну ты обнаглел вконец, тебе что, прошлого раза мало. Ладно, давай по граммульке...

Приближалось время удара в гонг... Места для зрителей тем временем почти заполнились богато одетой публикой. Мужчин среди гостей наблюдалось гораздо больше, чем женщин. Последние явились сами по себе — парами сюда приходить было не принято. Чувствовалось заметное возбуждение от выпитого и от предстоящего зрелища.

Появился хозяин, одетый во все черное, и, сев за отдельный столик, начал принимать ставки. Собравшиеся зашевелились. Адреналин делал свое дело, когда с горящими глазами и непроизвольно трясущимися руками каждый подходил к столику и, терзаемый сомнениями, подписывал невидимый приговор.

Все... От тебя уже ничего не зависит — выбор сделан. Ты оплатил минуты неистовой забавы и наслаждайся зрелищем. А угадал или нет, время покажет. Горе поражения, как и радость победы, не определялось суммой валюты. Они были сильнее...

Около полуночи соперники появились на ринге. Два русоволосых короткостриженых парня стояли в разных углах ринга и беззлобно смотрели друг на друга. Да и какая могла быть между ними ненависть, если они не сделали друг другу ничего плохого. Еще никто никого не ударил, не вывернул сустава, не причинил боли, не пустил кровь. Просто так ненавидеть парня, стоящего напротив, только потому, что ему не нашлось другого занятия в данный момент жизни, который в другой обстановке, может быть, и плечо подставил бы в трудную минуту, не получалось. Не было злости, и все тут. Она придет позже. Сейчас они рассматривали друг друга, пытаясь угадать слабые и сильные стороны противника. Один из них, тот, кого представили как Грузовик, выглядел помощнее. Могучая шея, выпуклая грудная клетка, узкие талия и таз выдавали в прошлом борца, и скорее борца классического стиля, к тому же еще и культуриста. Рельеф мышц близок к совершенству. Он понимал это и, немного красуясь, держался куда увереннее, нежели его соперник, скромно стоящий в углу, переваливаясь с ноги на ногу.

Последний, которого объявили как Тротил, был немного повыше, но легче. Он не отличался особой рельефностью мышц и выглядел несколько бесформенным, хотя лишнего ничего не было. Этот смотрелся боксером-полутяжем, грамотно поднабравшим вес, но при этом оставаясь жилистым и крепким.

Удар гонга возвестил о начале поединка. Соперники сошлись на середине, и после пары взаимных ударов центр занял Грузовик, а его соперник стал, пританцовывая, кружить вокруг, отыскивая бреши в обороне.

Попытка провести нижнюю круговую подсечку вызвала лишь улыбку Грузовика и одобрительный смех в зале: так легко и непринужденно для своего веса перепрыгнул он ногу противника.

Большинство женщин поставили на этого парня, без сомнения, более физически сильного и выглядевшего куда эффектнее. Мужчины же — напротив. То ли зависть, то ли симпатии к более слабому заставили мужское большинство поставить на Тротила. Деньги — не главное, но радость победы в таком случае не шла ни в какое сравнение с восторгом от победы фаворита. Прошла минута-другая, а картина боя не менялась. Этот крутящийся в центре волчок и подпрыгивающий вокруг него на значительном расстоянии мячик, хотя и выбрасывали периодически вперед то руки, то ноги, не могли увлечь публику, желающую зрелища. Свист и выкрики требовали активности, ее же требовали и условия договора. Обоим надо было что-то менять, какой бы опасностью это ни грозило.

Хозяин, подошедший к канатам, подзадоривал. Такая манера боя была на руку Тротилу. Ему, как кикбоксеру и более легкому, было проще наносить жалящие удары, которые пока грамотно и легко отбивал противник. Но это пока... Усталость возьмет свое, тот начнет раскрываться и пропускать. Если бы разряженная публика начала орать чуть попозже. Нет, уж пусть этот автомобилист и обостряет игру, ему нужнее...

Грузовик был опытнее соперника и прекрасно понимал все происходящее. Он знал, что именно он должен изменить картину боя. Нельзя же так легкомысленно отказываться от того преимущества, которое обеспечивало ему превосходство в весе. В этом поединке он имел больше шансов успешно осуществить толчок или бросок, а в борьбе на полу крепче удерживать соперника. Ему было легче противодействовать попыткам противника перехватывать инициативу и с большим эффектом осуществлять выкручивание суставов. Однако он понимал и то, что собственный вес мог стать помехой при использовании Тротилом неизвестных ему приемов единоборства. С такой неожиданностью всегда необходимо считаться, тем более на этом ринге, где разрешены все приемы. Здесь все его тело, от ступней до головы, было целью атаки соперника. Он должен нападать сам, используя эффективные приемы, к которым располагали его физические данные.

Пусть посвистят еще немного, а этот попрыгает вокруг меня. Не железный же — устанет, а устанет — ухвачу за что-нибудь, уж тогда я на тебе высплюсь.

И опыт взял верх... Удар правой в корпус был принят на кисть руки Грузовика, тут же левая противника пошла в его голову, но вертикальный блок предплечьем наружу не только отбил, но и заставил Тротила чуть провалиться. Именно этого мгновения не хватило ему, чтобы убрать бьющую руку, которая попала в капкан мощных пальцев соперника и оказалась вывернута за спину.

Невыносимая боль до предела выкрученного сустава затмила все вокруг. Корпус, движимый инстинктом самосохранения, пошел книзу, и Грузовику осталось только упасть вместе с ним, не выпуская его руки. Там на полу добить более легкого противника с заломанной конечностью ему, борцу, плевое дело.

Это знали и те, кто был на ринге, и те, кто вокруг него. Поражение ли, победа ли воспринимались зрителями как личное. Эмоции захлестывали зал... Какой-то миг отделял Грузовика от победы, но правая рука противника была свободна, а победитель забыл про нее.

И зря...

Локоть правой свободной руки достиг печени, острая боль ослабила захват, и Тротил вновь оказался перед противником. Обоюдная боль не позволила тотчас же начать поединок, но через десяток секунд, превозмогая ее, бойцы пошли друг на друга. Бой возобновился. Только теперь левая рука одного висела плетью, а другой, в центре, припадал на правый бок.

Опытная публика подбадривала и была довольна. Она уже не требовала, а скорее просила действия, и соперники старались. Это видели все, это отлично понимал и Сиривля. Он стоял почти скрытый в темноте и, сложив руки на груди, наблюдал за происходящим. Бой смотрелся, и это было главное. Сергей Павлович нашел этих ребят. Объяснил, что нужно делать. И они делали на совесть. Сам он не был ни на чьей стороне, одинаково радуясь успехам и переживая поражения, но переживал он сильнее.

Грузовик уже пришел в себя, и его болельщики стали активнее. Тротил тоже старался, но его левая работала плохо. Опытный боец, Сиривля более чем кто-либо понимал, как нелегко держаться этому парню и что шансов у него почти нет. Он даже невольно закрыл глаза, когда увидел, что поврежденная левая рука вновь не успела вернуться и оказалась пойманной, а правая рука Грузовика нашла голову противника.

— Еще! Еще!! Вот так!! Врежь ему еще!! — кричал толстый крепыш с блестящей от пота лысиной, довольный происходящим.

И Грузовик старался.

А еще он мстил за боль в печени, рассеченную бровь и повреждение правого колена. На остальное — саднило лицо и болело все тело — он уже не обращал внимания. Предчувствие победы притупляло боль, и он уверенно шел к ней. Соперник опять освободил руку, она у него болит, совсем повисла и уже неопасна. Еще один удачный удар, уход с линии атаки, и шея противника захвачена...

Тротил проигрывал. Рука соперника прижимала его боком к себе, сжимая при этом горло, и он чувствовал, что задыхается. Главное — из последних сил не допустить разворота корпуса, что означало точный конец поединка. Перед глазами пошли круги, и он почувствовал страх смерти. Крюк, собравший все оставшиеся силы, был ударом последней надежды. И пусть он нанесен неправильно, с большим риском для суставов, но зато нанесен круто согнутой рукой и прошел, достигнув нижней челюсти противника...

И вновь они стояли друг перед другом. Один из них чувствовал, что проигрывает напрочь, а другой улыбался разбитыми губами. Эта наглая улыбка перевернула все внутри бойца. Разъяренный Тротил нанес прямой удар ногой в корпус и вернулся в стойку, вернее, в то, что от нее осталось. Атака не получилась, нога едва коснулась туловища соперника.

Вторая попытка была еще хуже и опаснее, так как рука Грузовика после блока едва не захватила бьющую ногу.

«Ну давай же еще разок, — промелькнуло в голове последнего, понявшего свою ошибку. — Я тебя, суку, отучу лягаться. Пора с тобой кончать...»

Однако вместо возвращения бьющей ноги назад, в боевую стойку, Тротил лишь опустил ее и ею же провел обратный круговой в голову. Обманутый противник на мгновение потерял ориентацию. И здесь его выдали глаза. Вроде и стоял в стойке, руки и ноги тоже работали. Но взгляд... Он не мог обмануть опытного соперника — нокдаун...

Прямой задний удар в голову продолжил начатое. Тротил почему-то вспомнил слова своего первого тренера, бывшего чемпиона Европы.

— Женек, бей так, чтоб до жопы доставало, а как сидеть потом будет, неважно.

Здоровой рукой прямой в голову, отскок и тут же крюк еще раз в голову поставили точку... На последующий круговой удар в прыжке с разворотом сил еще хватило. Это смотрелось эффектно и предназначалось публике, болеющей за него, которая поняла это и оценила. Поединок можно было заканчивать. Грузовик еле стоял, качаясь и бессознательно болтая руками. О возможности сопротивления не могло быть и речи. Он был побежден...

— Убей его! — хрипела одна из женщин, вскочив на кресло и задирая вверх толстую ногу, изображая что-то отдаленно похожее на прямой удар ногой.

— Добивай его! До конца добивай! — орал толстый Борисыч, побагровевший от натуги и переживаний, обнимая приунывшего Михаила.

Еще один круговой в прыжке с разворотом, по желанию публики — в туловище. Победитель уже остыл и не хотел наносить этот удар в голову. Он бы этого и не делал, если бы не доплата за эффективную концовку. Высокая круговая подсечка завершила поединок — соперник рухнул навзничь как подкошенный.

Что сделалось с залом?!

А вы ходили на футбол, когда пенальти берет у англичан Яшин? Не ходили. Не было вас в Англии тогда. Вас вообще тогда не было.

## ГЛАВА 2

Полированная поверхность рабочего стола была освобождена для нескольких десятков тысяч долларов, лежащих внушительной пирамидой. Зеленые купюры разного достоинства создавали притягательную картину на фоне идеальной темно-коричневой полировки. Не так уж многие могли похвастаться тем, что когда-нибудь лицезрели такое. И все потому, что имеющие большие деньги держали их кто на банковских счетах, кто в коробках, а кто и по старинке — в чулках. Но ни тем ни другим и в голову не приходило вот так высыпать бабки и посмотреть со стороны. Не понимают, глупые, какой это кайф. Так смотреть на свое — это совсем не то, что любоваться записями с нулями или, затаив дыхание, втайне пересчитывать, озираясь по сторонам.

Здесь же, в этой комнате, особо не любовались и не восторгались представшим перед глазами. Такое можно было увидеть раз в неделю. Вот и сейчас шла обычная работа. Ухоженные мужские руки сидящего за этим столом человека с ловкостью бухгалтера Дмитрия Горина, подивившего народ в свое время неординарным решением, сортировали, укладывали, перевязывали и записывали в столбик.

Напротив стола в глубоком кожаном кресле сидел Сергей Павлович Сиривля и одинаково равнодушно глядел то на разбросанную валюту, то на ногти своих крупных пальцев. Он молча охранял покой шефа и ждал возможных указаний.

— Тротилу... Он хорошо дрался, — коротко произнес мужчина, привстав, и подвинул несколько пачек на край стола.

— Отработал сполна, — буркнул Сиривля, протягивая руку к журнальному столику с пачкой газет.

— А как Грузовик?

— Его даже до душа не донесли, печень... — развел руками Сергей Павлович, с сожалением поморщившись при этом, а затем начал заворачивать деньги в газету.

— Ты проконтролируй, пусть сделают все чисто.

Мужчина, перестав считать деньги, немного подумал и чуть откатился от стола на кресле. Затем, открыв ключом один из ящиков, начал перебирать картонные карточки с фотографиями, пока на него с одной из них не глянул чуть улыбающийся Грузовик.

— Да, жаль... Ему бы еще жить да жить, — прочтя

на карточке анкетные данные, произнес он с искренним сожалением и добавил: — А у него точно семьи не было? Чтобы такой красавец в девках засиделся?

— Его уже приготовили, чтобы отправить по назначению... — отрапортовал Сергей Павлович. Он, привстав, взял карточку из рук шефа, мельком пробежал по ней глазами и тут же вернул. — Ребята говорили, что он еще и пел неплохо. Вот жизнь, одним дает все, а другим самую малость... А что касается семьи, то в расписке написал, что холост, а там кто его знает. Они же все холостыми называются, лишь бы выступить...

Старинные напольные часы, высотой почти в человеческий рост, занимающие угол комнаты, ударили мелодичным боем, извещая о начале нового часа.

— Вот-вот... Одним время в сто лет жизнь отмеряет, а другим только в двадцать два, — посмотрев на часы, тяжело вздохнул мужчина, а затем, щелкнув зажигалкой, поднес ее к карточке. — Ты все же проверь, а если что, помочь бы надо.

Он завороженно смотрел, как огонь черной шторкой убирает изображение, и, лишь когда пламя начало лизать пальцы, бросил горящий клочок картона в пепельницу.

— Приятный был парень, — чуть слышно добавил шеф и принялся за работу.

Сиривля молча кивнул в знак согласия, и еще около часа в комнате слышалось лишь шуршание пересчитываемой валюты, а затем щелчки открывающегося сейфа.

— Неплохо, совсем даже неплохо вчера поработали, — удовлетворенно подытожил мужчина, укладывая пачки.

— Ну, мы попылили, — доложил Сергей Павлович, как только дверь сейфа закрылась. — Самое время трогаться, все готово.

— Действуй, Сергеич, только еще раз прошу, поосторожней...

Полуспортивный джип «форд эксплорер», разгоняя впереди идущие машины мигающими фарами, словно слаломист, мчался по Варшавскому шоссе, преследуя темно-вишневую «четверку» с привязанными на багажнике досками. Не надо было быть большим знатоком уличных магистралей, чтобы безошибочно определить, что в салоне автомобиля ребята крутые, а за рулем опытный ездок, не дрожащий за своего железного коня.

Преследуемая машина оторвалась на светофоре, и двое парней в ней, успев проскочить на зеленый, видимо, забыли строгие инструкции и не особо следили за джипом.

— Вот засранцы, — промычал покрасневший от напряжения Сиривля, когда джип наконец нагнал нужную машину и надежно пристроился взади. — Я их научу свободу любить, небось музыку врубили и баб вчерашних обсуждают...

— Да не волнуйтесь вы так, Сергей Павлович, ну куда ему на такой тачке от нас деться. Да вы же еще в прошлый раз убедились, как Питон свою машину чувствует... — попытался вступиться за товарищей сидящий за рулем.

— Ладно, защитник, следи лучше за дорогой... —

снисходительно посоветовал Сиривля и задумался, усевшись поудобнее.

Да, он убедился в способностях этого Питона, только не в прошлый, а в тот раз, когда сплоховал Столб, пропустивший боковой в прыжке, — пятка угодила точно в переносицу, и все кончено было прямо на ринге.

Тогда он и сидевший сейчас сзади Руслан и Питон, прозванный так за дикое обжорство, но при этом каким-то чудом остающийся достаточно стройным, вот так же повезли неудачника в последний путь.

И ведь надо же, без проблем проскочили пост при выезде, а уже на Каширском шоссе какому-то обгоняющему их гаишнику, вероятно с повышенным чувством интуиции, захотелось остановить перевозившую старые стулья «четверку». Вот тут-то и показал себя этот Питон, преследуемый сначала одной, а затем еще двумя машинами. Что творил и как они остались живы, одному Богу было известно... Да и автоинспекция оказалась не лыком шитой. Несколько раз выходили лоб в лоб, визжали тормоза, «четверка» отрывалась от земли, совершая немыслимые прыжки и крутые развороты. И если одна машина ГАИ догнала в результате погони другую такую же, так что уже не смогла двигаться дальше, то их ласточка оставалась без единой вмятины. И когда незнание местности и численный перевес завершали это дело, Питон все же смог настолько оторваться, что им удалось, проскакивая какие-то посадки, резко повернув, на мгновение потеряться. Именно в этот момент и успели, притормозив на секунду, выбросить тело в кусты, а еще через пару секунд, когда выскочили из них, увидели впереди мигающие фары перекрывшей дорогу милицейской машины. Простора для маневра не было, и, успев хлебнуть прямо из горла по паре глотков, они сдались милиции в нетрезвом виде.

На следующий день, забирая машину и права, хорошо заплатили, так что все остались довольны. Столба забрали бесплатно, найдя его, без проблем и даже успели, как полагается по обычаю, завершить дело на третий день. После этого случая стали ездить уже на двух машинах.

— Да, отлично чувствует машину Питон, — уже вроде бы и ни к месту произнес Сиривля и снова погрузился в раздумья.

Какое-то время опять ехали молча, чтобы не отвлекать водителя. Сейчас он должен быть предельно внимательным. Задача заключалась не только в том, чтобы не отстать от первой машины, но и нагло нарушить правила, если начнут ее останавливать, а движение было еще большим.

— Руслан, а ты с Грузовиком до этого встречался? — нарушил молчание Сергей Павлович, когда машины выскочили на прямую за пределами кольцевой дороги.

— Нет, слышать слышал, а общаться не доводилось.

— Узнай, он один жил или как... Может, ребенок был?

— А чего узнавать-то, я и так знаю, что они со

своей телкой купили квартиру в Митине, а кто она и про детей — ничего не знаю, — ответил тот, которого называли Русланом, а через некоторое время с обидой добавил: — Ну ты даешь, Сергеич, что же, я его привел не глядя в паспорт?

— Все же проверь, шеф велел. Он ему чем-то приглянулся.

— Бывает... Заметано, завтра скажу.

Некоторое время в салоне стояла тишина..

— Сергеич, а как он его чисто сделал-то, — сказал вдруг водитель, приглушив радио. — От этого Тротила толком ничего добиться не успели. Как узнал, что вырубил парня навсегда, так и потух.

— Куда там, тот самую малость не дожал. — Сиривля кивнул в сторону первой машины: — Я так понимаю, будь он повнимательнее да поскромнее, то выиграл бы.

— Так что, выходит, случайность?

— Да нет, второй тоже хорош был... Разве только назвать случайностью последний удар, в печень. Как Тротил после мне сказал, он не стал по голове бить — пожалел и ударил по корпусу. Кстати, Руслан, отдашь ему завтра, — приказал Сергей Павлович, передавая сверток с деньгами. — Ну да ладно, не будем, ребята, о грустном...

К небольшому одноэтажному строению подъехали с потушенными фарами. Почти тотчас же, после нажатия кнопки звонка, открывшаяся дверь и выключенный в коридоре свет говорили о том, что их здесь ждали.

Четверо ребят не без усилий вытащили из багажника «четверки» черный пластиковый мешок, многократно перетянутый липкой лентой, и молча вошли в здание. Они уверенно прошли длинным темным коридором и, оказавшись в большом, слабо освещенном зале, уложили тяжелый сверток на узкую металлическую площадку.

— Порядок, — полушепотом произнес Руслан и кивнул мужчине в халате, впустившему их.

Площадка с грузом под звук электродвигателя медленно опустилась под пол, и над телом сомкнулись металлические шторки.

Сквозь узкую щель появилось яркое пламя, легко справляющееся со своей работой, ждать конца которой времени не было...

Если кто считает, что закапывать почетнее, пусть остается при своем мнении.

## ГЛАВА 3

Конец рабочего дня... Зимой — ночь за окном. Летом — день в полном разгаре. Весной и осенью что-то среднее.

На Маросейке, 12, светящихся вечерами окон предостаточно. Вот и в этот вечер два из них горели по инициативе хозяина кабинета, носившего гордую фамилию. За своим рабочим столом, отвалившись на спинку кресла, трудился сам глава кабинета, майор Никита Орел. Бывает, ну хочется домой на диван, и все тут... Он с мученическим видом, далеко отодвинув от себя клавиатуру компьютера, тыкал по ней одним пальцем. Не то чтобы не умел быстро печатать, нет. Печатал как раз неплохо, так как за плечами была муровская практика прошлых лет. Дело в том, что, когда на погонах маленькие звездочки, горишь желанием погоняться и пострелять, тебе почему-то доверяют не только присутствовать на допросах, но и заниматься именно таким делом.

Его одиночные выстрелы заглушались очередями лейтенанта, Ольги Калининой, работающей на втором компьютере. Та была в ударе.

«Во молотит, — невольно подумал майор, и ему стало даже немного стыдно за свое состояние. Но не надолго. — Работай, работай. Еще не вечер».

Он посмотрел в окно: шел дождь. Еще больше захотелось домой... Бросить бы всю эту скукотень, да...

И сердцу растрава, и дождик с утра,
Откуда же, право, такая хандра... —

неожиданно для себя прошептал он первые строчки стихотворения, которое целиком и не помнил, да и кто написал, не знал.

Компьютер недовольно затрещал, и на мониторе высветилась бегущая ярко-желтая строка народной мудрости:

*МЕШАЙ ДЕЛО С БЕЗДЕЛЬЕМ, ПРОЖИВЕШЬ ВЕК С ВЕСЕЛЬЕМ.*

«Хоть этот меня понимает», — усмехнулся Никита и надавил на клавишу мышки.

Стук ногой в дверь заставил прекратить работу. Майор вопросительно посмотрел на лейтенанта, которая в ответ лишь пожала плечами и направилась к двери.

Сначала в комнате появилась высоченная стопа канцелярских папок с бумагами, занимающая все возможное пространство между опущенными руками старшего лейтенанта Дмитрия Русанова и его подбородком, а затем и он сам.

— Ты бы еще в зубы парочку прихватил, — пробурчал начальник, не оценив стараний подчиненного. — Лень второй раз сходить, что ли?

— Не, в зубах, к сожалению, не могу, ты же знаешь, резцы я в прошлом году на задании оставил, а пластмасса — дело хрупкое, — с огорчением признался помощник. — Да и что, из-за двух папок второй раз бегать? Ольга, скажи, нашему начальству такая работа может понравиться?

— Сомневаюсь, — не раздумывая, ответила Калинина и, подмигнув Дмитрию, кивнула в сторону майора, продолжавшего отбивать редкие удары на клавиатуре.

— А я точно знаю, что не понравится. Не может такое понравиться нашему всегда энергичному командующему. Знаешь, какой он шустрый, когда не гнетет агония творчества...

— Ну мне ли не знать. Компьютер зависает от перегрева.

— Чьего перегрева? — задал вопрос Русанов, складывая сваленные на кресло папки в две стопы на стол.

— Когда как, чаще начальника, — еле слышно хихикнула Ольга.

— Я так и думал. Кстати, а как движется отчет, господин майор?

Стук прекратился, но Орел с минуту сидел неподвижно в полной тишине.

— Отвяжись, — наконец вымолвил он и вновь уставился в окно.

Калинина и Русанов переглянулись. Русанов, тяжело вздохнув, уселся за стол и, секунду поразмыслив, с какой стопы начинать, взял верхнюю папку из ближней.

И вновь наступила тишина, прерываемая лишь аккомпанементом ударов по клавиатуре.

Команда Орла трудилась. Дел было невпроворот.

Через минуту-другую прекратился и треск клавиш...

— Оль, не в службу, а в дружбу, поставь чайку, — прервал затянувшуюся тишину хозяин кабинета. — А ты, Геракл, — обратился майор к засмотревшемуся в окно Русанову, — как я вижу, надорвался и работать уже не сможешь. Что за привычка брать плохие примеры с начальства?

— Да было бы из-за чего надрываться. В этих папках пароксизм бюрократии какой-то. Здесь нужен не оперативник-полицейский, а рота бухгалтеров и юристов, — искренне вспылил Русанов.

— А я лично наблюдаю пароксизм гнева, вызванный нежеланием шевелить мозгами, — с усмешкой констатировал майор. — Надеюсь, стакан чая заставит вас шевелиться.

— Не веришь, сам посмотри. Развели бодягу...

— Не свисти под водой. Больше сегодня прочтешь, на завтра меньше останется. Пожалей себя.

— Есть пожалеть себя, — тяжело вздохнул Дмитрий и углубился в изучение докуменов.

Постепенно содержание папки захватило, и происходящее вокруг перестало существовать... Вернул его к действительности только голос Ольги.

— Господа, прошу к столу. Чай готов. Только пить его не с чем. Мужчины-добытчики сегодня, увы, ничего не добыли.

— Мне и так сгодится, — заявил Русанов, отодвигая от себя папку. — Эх, все меньше и меньше в русской мафии коренного населения.

— Как и везде, куда ни сунься, — заметила Калинина.

— Ты так считаешь? — вступил в разговор Орел.

— Разумеется. Да и при чем тут я. Невооруженным глазом видно. Только не думайте, что я говорю про рынки, там дело ясное — одни азербайджанцы только торговать и умеют. Афанасий Никитин со товарищами от стыда да обиды сотню раз, видать, в гробу перевернулся. А их потомкам один черт. Попытались было казаки на рынке порядок навести, походили, походили павлинами, да весь пар вышел.

— Может, тебе к Баркашову податься?

— Да не националистка я, только если и дальше так пойдет, через несколько лет в начальных классах надо будет преподавать сразу на двух языках, на русском и каком-нибудь кавказском эсперанто. А это неправильно и ненормально.

— Ну в этом-то вы, женщины, будете сами и виноваты, мужики рожать еще не научились, — заметил Русанов.

— А вы ничего не умеете — ни семью обеспечить, ни в магазин сходить, ни в квартире убрать. А если и умеете, то не хотите. Ты что, скажешь не такой? — Ольга посмотрела на Русанова.

— А я что, я как все. Да я не о кавказском пополнении москвичей говорил, здесь и ежу понятно, что наш мегаполис однобоким становится, а об уменьшении в русской мафии коренного населения.

— Так и я о том же. Конечно, радуешься, когда по телевизору слышишь то о разгроме люберецкой, то солнцевской, то ореховской группировки, а вот о разгроме какой-нибудь из кавказских группировок не услышишь, хотя все время пишут и говорят об их существовании. Ерунда получается какая-то. А ты, начальник, можешь нам объяснить, почему так происходит? Только не надо об интернациональности бандформирований.

— И не буду, хотя и это имеет место. Давай, если хочешь, в другой раз на эту тему поговорим, а сейчас попили чайку и за работу, — не то приказал, не то предложил Орел.

Разговоры прекратились, и некоторое время в кабинете снова слышен был только треск клавиатуры и шуршание страниц. Отдел заработал.

Сигнал к перекуру прозвучал в виде телефонного звонка на столе хозяина. Никита с явным облегчением оторвался от работы и схватил трубку.

— Майор Орел слушает, — представился он торжественно. — Привет, мам... Какая Мария?.. А-а... И чего это я ей вдруг понадобился?..

Калинина при упоминании женского имени перестала печатать.

Так происходило в последнее время всегда, когда шефу звонили женщины. Хорошо еще, что это случалось нечасто, да и, как правило, он их называл по имени-отчеству и на «вы», что не вызывало особого беспокойства. А-то пришла бы беда и на плодотворной работе лейтенанта Калининой можно было поставить крест, да и только. Она себя хорошо знала, был в жизни такой случай...

Тогда, еще во время учебы в академии, обошлось академическим отпуском...

Ольга, как и большинство ее сверстниц, жила в ожидании своей судьбы. Ольга выросла достаточно приземленной, чтобы не ждать корабля с алыми парусами, но на романтику в отношениях рассчитывала. И о том, кого смогла бы по-настоящему полюбить, тоже имела представление. Будучи девушкой, безусловно, интересной, она рассчитывала на красавца.

А получилось все не так, как ждала в книгах и мечтала для себя. Он появился в начале второго семестра, вместе с новой дисциплиной, которую преподавал. Скажи ей накануне, что мужчина лет на пятнадцать старше, далеко не высокий и уж точно не стройный, с начинающим светиться затылком станет для нее в этой жизни всем, Ольга бы ни за что не поверила. И тем не менее это случилось. Пусть сейчас ей порой кажется, что такое не могло произойти с нею, — это было. И она хорошо все помнит... Ни тогда, ни сейчас она не могла себе объяснить, почему они с подругой из группы выбрали именно его в качестве объекта, который будущие сыщики должны были досконально обследовать. И тогда составили план действий по выяснению всего: от домашнего телефона до интимных подробностей. Что в нем было безупречно, так это аккуратность во всем. Сейчас Ольга назвала бы это занудством, но тогда все смотрелось по-другому. Он умел носить одежду по-особому. Два костюма и пара свитеров, благодаря комбинированию и добавлению незначительных деталей, делали его импозантным. Не было сомнения, что за всем этим следила женщина. И это, как потом выяснилось, соответствовало действительности. Правда, такой женщиной была мать единственного сына, а желание нравиться было у него просто в крови. А сколько было тогда выстрадано по этому поводу! И еще поразил Ольгу его голос.

И тогда решилась... Он ее выслушал с пониманием, но потом предложил свои условия отношений. Уже особо не вникая в смысл выставляемых условий, лишь по одному тону, каким он разговаривал, поняла, что слушать этот голос больше не сможет. Она справилась, доведя себя до полного истощения, как нервного, так и физического, а учебу пришлось отложить на год.

Вот и сейчас окружающее перестало существовать. Ольга, делая вид, что читает написанное на экране, внимательно подслушивала разговор Никиты Орла, искоса наблюдая за разговаривающим.

— И с какой это радости я буду ей звонить?.. Да?.. Ну хорошо, давай, я записываю...

«Раз не знает телефона, значит, не очень нужно», — промелькнуло в голове Ольги, и немного отпустило, и она снова принялась за работу.

— Нет, мам, не жди, я сегодня поздно буду — с отчетом зашиваюсь... Хорошо, разогрею... Пока, — закончил разговор Никита и положил трубку.

— Вот и не верь после этого в предчувствия, — неожиданно громко произнес он, разглядывая листок с номером телефона...

Связаться с первой попытки не удалось, так же как и с нескольких последующих. Линия была занята намертво. Ничего хорошего от звонка он не ждал. Уж если портить настроение, то уже испорченное, а не тогда, когда оно у тебя хорошее... Наконец он добился своего.

— Это я. Ты просила позвонить, — начал отчужденно Орел, опустив приветствие.

— Да, просила. Ты же сам не догадаешься, что нам давно пора встретиться, — услышал он раздраженный голос бывшей жены.

— А зачем нам встречаться?

— А ты не забыл, что сын растет, вернее, вырос уже без тебя. Без отца вырос. Ты, как я понимаю, и сейчас очень занят.

— Да, я очень занят.

— Ну конечно... Хорошо устроился, и сын вроде бы есть, и свобода. Не зря жил, след оставил. Никаких забот, не жизнь, а малина. А состаримся, придем, покаемся и внуков растить будем, опять же если захотим. Как же, они тоже Орлами будут. Продолжение рода как-никак. А что ты сделал для этого? Ничего...

Согласился на мою просьбу не мешать воспитывать сына, а может, и обрадовался тогда. Молодой, красивый и свободный. Хорошее сочетание. И сейчас порхаешь. А то, что парню девятнадцать лет и ему отец нужен, не задумывался? Понимаешь, отец, родной отец, которому он мог бы все рассказать и посоветоваться... Да что с тобой говорить-то, если ты даже сейчас занят и разговариваешь со мной сквозь зубы, вместо того чтобы спросить, как сын живет, что с ним произошло, — отчитывала Никиту Орла бывшая жена.

Орел даже не пытался вникнуть в смысл услышанного, настолько памятны и ненавистны ему были эти монологи и этот голос, их произносивший.

— С Ильей? Ну и что с ним? — прервал он несколько равнодушно, но при этом повысил голос, что не осталось без внимания подчиненных.

Калинина тут же, прекратив печатать, начала не спеша искать какую-то бумагу в той стороне стола, которая была ближе к начальнику. Русанов же, находясь весь в своей папке и не поднимая головы, бросил взгляд на говорящего, затем на потерявшего бдительность лейтенанта и, перехватив ее взгляд, непроизвольно усмехнулся, едва заметно пожав плечами, вновь вернулся к делам.

— Да это понятно... И это понятно... А ты не можешь мне все рассказать по телефону? — продолжал разговор Орел, пытаясь одновременно печатать.

— Ты в состоянии выслушать меня хотя бы раз? — спросила женщина на другом конце провода и, не дожидаясь ответа, продолжала: — Что, совсем не понимаешь, о чем я говорю, или прикидываешься глупым. Неужели не догадываешься, что есть вещи, о которых по телефону не говорят?

— Я же говорю — занят...

— Ни минуты свободного времени. Ну прямо министр...

— Представь себе, — с раздражением ответил Никита.

— Ну ты как был хамом, так, видно, и остался...

— Судя по всему, ты тоже не очень изменилась, — поймал ее бывший муж, прекрасно помня возможность жены говорить бесконечно.

— Не тебе меня судить. Первый раз за многие годы обратилась к нему, а ему, видите ли, некогда встретиться. Может, по факсу все изложить? Ребенок погибает, а он...

— Да подож... — только и успел произнести Орел, прежде чем услышал прерывистые гудки, и в сердцах бросил трубку. — У, пантера!

Калинина сразу же нашла нужный лист и приступила к работе на компьютере.

— Вот и поговорили, — удовлетворенно констатировала она, еще раз искоса взглянув на начальника.

Орел лихорадочно забарабанил по клавишам, но его хватило ненадолго... Затем он отодвинул от себя кейборд и, подперев кулаком подбородок, некоторое время сидел, глядя в пространство, после чего посмотрел на часы и снова снял трубку.

— Успокоилась? — спросил он как можно мягче и, не дождавшись ответа, продолжал: — Ты, судя по номеру, опять к матери вернулась... Сможешь через час быть в кафе напротив гастронома?

Быстро сложив разбросанные бумаги и выключив компьютер, Никита начал одеваться.

— Мне тут надо с одним человеком встретиться, черт бы ее побрал!.. Если Дед спросит, меня сегодня не будет, — бросил он остающимся, надевая на ходу куртку.

— Хорошо, — тихо пообещала Ольга, не отводя глаз от экрана.

Уже в дверях он услышал Русанова.

— Никита, сельский донжуан на Руси перед танцами не только пропускал сто граммов, но и клал в карман морковку... — напутствовал Дмитрий.

— Это для чего?

— Для дезориентации...

— Пошел к черту... Хотя сто граммов я бы сейчас махнул с удовольствием. До завтра.

## ГЛАВА 4

Орел не спеша ехал в среднем ряду по ярко освещенному проспекту. Часы заторов и пробок уже прошли, и он точно знал, когда будет на месте. Никита ехал по хорошо знакомому маршруту. Двадцать лет назад они с Марией жили у ее матери, переехать к свекрови жена тогда наотрез отказалась.

Да если бы и переехала, все равно тем бы все и кончилось, подумал Никита, поворачивая на знакомую улицу, теща-то ни в чем не виновата, дай бог каждому такую иметь. Сам виноват, да и Машка тоже. Хотя если в чем они и виноваты, то только перед сыном, да чего уж теперь-то вспоминать...

Гастроном поменял вывеску, на окнах появились жалюзи. Кафе напротив тоже изменилось. Тогда просто так попасть в него было невозможно, а сейчас только заходи.

Припарковав машину, Никита медленно пошел к входу. Он приехал раньше. Для ночного заведения был еще ранний вечер. За столиками десятка полтора человек, хотя зал был готов вместить раз в пять больше. Две пары акустических колонок чисто и громко делали свое дело, как и телевизор над стойкой бара. Ее он увидел сразу, отметив про себя, что в молодости у него со вкусом было все в порядке. На тридцать пять Машка ну никак не выглядела. Красивая, со вкусом одетая женщина, супругом которой его называли почти пять мучительных лет, сидела в углу, нервно куря и изредка поднося к губам чашечку с кофе. Ее поза, движения, выражение тонкого лица были тщательно продуманы и преподносились окружающим по максимуму. Все это смотрелось изысканно, однако Никина хорошо знал суть этой изысканности.

Не отрывая от нее взгляда, нарочито неторопливо Орел направился к столику. Мария, заметив его, выпустила дым и, чуть кривя губы, улыбнулась. Улыбки у Никиты не получилось, он лишь кивнул и молча расположился напротив, приготовившись слушать.

— Рассказывай, — произнес он голосом, в котором прозвучал скорее приказ, чем просьба.

— Во-первых, здравствуй, — произнесла она с

нескрываемым раздражением, и глаза ее еще больше сузились.

— Привет, — как можно безразличнее ответил он. — Мне не до китайских церемоний, работы по горло. Говори, что тебе нужно, и я пойду.

— А ты все такой же грубиян, — усмехнулась Маша. — Лично мне от тебя ничего не нужно. Если бы не проблема с Ильей, никогда бы к тебе, как ты сам понимаешь, не обратилась. В это-то, надеюсь, веришь?

Он верил, и еще как.

После развода с Машкой, после того как ему было отказано в законном желании видеться с сыном, прошло около двадцати лет, прежде чем Никита встретил женщину, которая по-настоящему задела за живое. Все эти годы он, естественно, не жил отшельником. Но устанавливал отношения по принципу: ах, вы со мной так, ну и я вам... Серьезных связей не заводил. Были хорошие женщины. Наверняка любили, но инстинктивно. Орел боялся строить планы на будущее, связывать себя обещаниями и даже выработал определенную линию поведения: как только женщина, находясь с ним в одной компании, переставала веселиться и становилась задумчивой, как только он начинал ловить на себе ее изучающе-внимательный взгляд, то немедленно прекращал с ней все отношения.

Год назад, когда они раскручивали дело с нелегальными спиртзаводами, судьба свела его с Наташей. Он вспомнил, как внезапное чувство бросило их в объятия друг друга, как пахли лекарствами ее волосы и она этого стеснялась.

Однако три месяца назад Никита вдруг заметил у своей женщины те же симптомы. Никита понимал, что это нормальное явление. Какой бы «продвинутой» ни была его возлюбленная, женщине всегда хочется определенности, а определенность обычно воспринимается ими как штамп в паспорте и ребенок. Мы это уже проходили.

Никита все чаще и чаще стал оставаться дома у матери. Отделывался лишь звонками. Поначалу мать это радовало. Собственно, когда он перестал ночевать в своей квартире и перешел к Наташе, это тоже понравилось матери. Наконец человек остепенится. Может быть, будут внуки. Но внуков не было. Брака тоже, что, по мнению пожилой женщины, означало — семьи нет. Мать снова почувствовала себя одиноко, и ее уже не радовало, что сын ушел к другой женщине. Теперь же он снова зачастил к себе. Она видела его чаще, что тоже поначалу радовало, а потом встревожило. Мать во время коротких утренних завтраков стала заводить с ним пространные разговоры. Рассказывала о соседских делах, о чужих внуках и внучках, которые добивались успехов в учебе, спорте и т. д.

Перед ним снова встала дилемма.

А теперь этот звонок от бывшей жены. Когда он сообщил матери, что поздно вернется домой, так как встречается с Машей, у той мелькнула шальная, несуразная мысль, а что, если... После стольких-то лет... Сам Никита даже в кошмарном сне такого представить не мог. А вот мать могла. Сама будучи в молодости женщиной пылкой, увлекающейся и способной на сумасбродные поступки, она вдруг понадеялась на случай.

В таком настроении сидел сейчас майор Орел перед своей бывшей женой, стараясь как можно скорее завершить встречу.

— После того как я поймал на лжи самого себя, я уже никому не верю. Короче, я знаю, как ты меня любишь. И если уж мы здесь, то не потому, что тебе захотелось увидеть меня. Рассказывай.

Маша достала сигарету, щелкнула зажигалкой и медленно прикурила, успев оглядеть при этом весь зал.

— Вижу, как ты рад меня видеть. Поэтому буду говорить по существу, ты уж потерпи, — театрально вздохнув, начала она. — Твоему сыну... Нашему, если помнишь, девятнадцать лет. Я старалась не ограничивать его свободу, особенно когда он закончил школу. Возможно, дала ему слишком много воли, но в конце концов это привело к тому, что он стал слишком самостоятельным: за последний год мы виделись иногда раз-два в месяц, не чаще. А в последнее время он вообще пропал куда-то. По телефону говорили с полмесяца назад, и после этого ни слуху ни духу.

Музыка заиграла громче, и, чтобы общаться, приходилось не только напрягаться, но и невольно тянуться друг к другу.

— А не можешь ближе к делу? Наркотики, женщины, долги? Кстати, ты в художественную самодеятельность так и не записалась?

— Не сбивай меня. Так вот, все эти две недели меня преследуют звонками какие-то бандиты. Даже не какие-то, а просто натуральные... Звонки нехорошие... ругаются грязно...

— Так чего им нужно? — спросил Никита и, заметив, что Маша снова начала оглядывать зал, попросил: — Хоть раз постарайся сосредоточиться и не играть на публику.

— Что ты сказал? — переспросила она, но тут же продолжила: — Так я же объясняю... Они требуют, чтобы я рассказала им, где Илья. Угрожают, что мальчику не поздоровится, страшно матерятся и вообще говорят ужасные вещи. Я их языка не понимаю. А он прячется от них.

Маша передернула плечами и уставилась на одиноко танцующую пару в центре зала. Никита отошел к стойке бара.

Бармен, лысеющий битюг лет сорока, сидя за стойкой, с явным удовольствием, никого не замечая вокруг, смотрел очередной клип Шуры́.

Телевизор так орал, что хозяин напитков не услышал просьбы убавить звук.

Орел похлопал мужика по плечу и показал пальцем на экран.

— Ты что, глухой?

— Что?

— Понятно... Сделай, говорю, тише, — уже громче повторил Никита и, кивнув в сторону экрана, пошел на свое место. Бармен, проводив посетителя недовольным взглядом до столика, не спешил выполнить просьбу, но, когда тот сел и мрачно посмотрел на него, нехотя убрал звук.

— Честно говоря, я уже отвыкла от твоих выходок. А ты заматерел... и уже начинаешь лысеть... — с несвойственной ей нежностью вдруг неожиданно для Никиты сказала Маша.

— Ты отвлеклась,— резко прервал ее Никита: услышать такое от жены-красавицы, пусть даже бывшей, не очень-то приятно. — Так чего им нужно от Ильи?

— Извини, я не хотела тебя обидеть. Говорят, он должен деньги. Очень много.

— Сколько?

Он не прочь был дать денег. Ну попала баба, но зачем же сюда впутывать другое существо? Да, много лет не виделись, но могли не видеться еще столько же. И ровным счетом ничего. Одно дело, когда тебя вспоминают по праздникам открыткой, другое — мифическим сыном пытаются связать. Никита уже не помнил, когда в последний раз видел своего ребенка. Тогда мудрые родственники жены решили: если у мальчика появится «настоящий отец» — как будто Никита был липовым, — тогда ему незачем иметь второго, непутевого, да еще и милиционера.

— Ну откуда же я знаю?! Говорят, сумма большая.

Маша открыла сумочку и достала косметичку.

— Кстати, вчера я нашла в его столе вот это, — положила она на стол пакетик с белым порошком и вопросительно посмотрела на Никиту, который быстро сунул пакетик в карман брюк. — Я так и думала...

— Понятно, героин нашего времени... Ты знаешь, где Илью можно найти? — спокойно спросил Орел.

— Понятия не имею. Тебя что, не волнует даже, что этот пакетик я нашла у твоего сына?

— Ты хотя бы догадываешься, где он может быть? Ну есть же у него какие-нибудь друзья, подружки? Где-то же он любит проводить время?

— Ты разговариваешь со мной не как отец Ильи, а допрашиваешь как мент, — пожимала она плечами.

— А ты пригласила меня как мента или как отца?

— Я хочу, чтобы ты разобрался в его делах. Если не как отец, то хотя бы как милиционер. Или тебе совершенно наплевать, что его могут искалечить или убить? — отвечала она, постепенно раздражаясь и от того чеканя слова, растягивая их почти до слогов. — И меня, кстати, тоже...

Никита раскрошил сигарету и взялся за новую. Он любил решать четко поставленные перед ним задачи, пусть со множеством неизвестных.

Никита театра не любил и актерских способностей бывшей жены оценить не мог.

«У нее сын в беде, а она тут сидит, кривляется. А может, и не в Илюхе тут вовсе дело... — раздраженно думал он. — В конторе дел невпроворот, а сиди смотри эту актрису из погорелого театра».

Его терпение подходило к концу.

— Где я его могу найти? — прерывая Машу, спросил он.

— Все-таки ты невероятно бездушный человек, Никита. Я же тебе говорила — не знаю... Правда, он как-то говорил, что ходит в ночной клуб, — теперь уже завелась она.

— Как называется этот ночной клуб?

— Там, где ты работаешь, всегда такие глупые вопросы задают? Я что, не сказала бы тебе название, если бы знала его.

— Что будете заказывать? — многозначительно спросила подошедшая официантка, давая понять, что посетители слишком засиделись. Лицо Никиты одеревенело, и он простонал, чтобы их оставили в покое. Тем не менее ее появление разрядило атмосферу между бывшими супругами. Никита понял, что надо остановиться, успокоить нервы.

— Успокойся и постарайся что-нибудь вспомнить об этом клубе, — попросил он, взяв себя в руки.

Маша тяжело вздохнула и задумалась, потирая себе лоб тонкими пальцами с безукоризненным маникюром.

«А руки у нее действительно красивы», — подумал Никита.

— Погоди, дай подумать. Знаешь, ты прав, он как-то говорил, чтобы я не волновалась, так как этот клуб находится рядом с домом.

— Поехали. — Никита решительно встал из-за стола.

— Куда?

— Искать этот клуб, куда же еще.

— Ты в своем уме? Я никуда с тобой не поеду. Тем более по этим притонам! За кого ты меня принимаешь? — искренне возмутилась она.

— Мне показалось, что ты беспокоишься за нашего сына. Или я в очередной раз ошибся? — как можно спокойнее спросил Никита, беря ее за плечи и легонько поднимая из-за стола. — Поехали.

Маше это явно не понравилось. Она попыталась освободиться, но поняла, что это не поможет. Никита настаивать на своем умел. Пришлось встать.

— Оставь меня, убери руки, — возмутилась она и почти закричала в глубь зала: — Сергей! Помоги же мне!

Посетители кафе искоса поглядывали на эту сцену, но вмешиваться никому не приходило в голову, кроме бармена и хорошо одетого мужчины лет сорока пяти, сидящего в другом углу зала.

Последний встал и нерешительно направился к их столику.

— Прекрати этот спектакль. Ты же знаешь, что без тебя я буду месяц искать этот чертов клуб! Ты живешь в этом районе и не знаешь, где ошивается твой сын! — убеждал бывшую жену Орел, подталкивая ее к выходу.

— Минуточку! Мне показалось, дама не хочет идти с вами. — К ним подбежал незнакомый мужчина.

— Эта дама моя жена, — Никита смерил заступника суровым взглядом и, убедившись, что тот его правильно понял, повел жену к выходу. — Видишь, и Сережа тут не поможет.

Он под руку вывел Марию из кафе и уже покорную подвел к машине.

— Ты просто хам! Ничуть не лучше бандитов, за

которыми гоняешься! — выдернула руку бывшая жена.

От резкого движения она чуть было не оказалась на тротуаре, но Никита успел подхватить ее.

— Не прикасайся ко мне, убери руки, — вместо благодарности закричала она, однако Орел отпустил ее, лишь когда Маша оказалась в машине.

Машин к этому времени стало меньше. Жители разъехались по норам и залегли там, кто в своей, кто в чужой. Благо дело, что для последних в наше время созданы все условия. Одно из таких лежбищ и предстояло найти бывшим супругам.

Первые четыре попытки не увенчались успехом. Оставался еще один клуб. Маша уже смирилась с происходящим и несколько раз пыталась завести разговор, но Никита был немногословен. Бензин заканчивался, да черт с ним, с бензином, колонки сейчас на каждом углу, перспективы начатого мероприятия не радовали. Мало ли что может сказать сын, чтобы не расстраивать мать. Мог вообще наврать, что в кафе, да и понятие «недалеко» тоже у всех разное и зависит от обстоятельств. Порой соседний магазин далеким кажется, а порой рядом, особенно когда не тебе идти. И тем не менее другой зацепки не было, и все возможное надо было извлечь, желательно с пользой.

— Столько лет за рулем, а машины приличной не приобрел. Что, по-прежнему взяток не берешь? — спросила жена, осматривая обшарпанный салон.

— Не беру... — хмуро бросил водитель.

— Перестань, деньги не пахнут.

До ночного клуба «Мираж» они доехали молча.

— Подожди меня в машине, я недолго. Если здесь знают Илью, я сразу отвезу тебя домой.

— Только не так, как в прошлый раз. А если это не то?

Никита направился к входу, но не сделал и пары шагов, как путь преградил парковщик, размахивая пачкой квитанций.

— Отвали, я на минуту, — Никита грубо оттолкнул работника частной охраны и скрылся за дверью.

— Хам! — зло прошептала Маша, закурив сигарету, и включила приемник. Но вместо ожидаемой музыки услышала переговоры на милицейской волне. — О черт!..

Маша вышла. Вернулась и принялась наблюдать за редкими прохожими, держа в поле зрения вход в кафе.

Именно там спустя некоторое время начался шум, и Маша увидела бывшего мужа в крепких руках двух здоровенных вышибал, которые со знанием дела вышвырнули Никиту на грязный тротуар перед клубом. Да, такого она не ожидала... Что-что, а видеть своего Джеймса Бонда в роли мешка с мусором было за рамками ее представлений.

— Что, и покруче тебя бывают, а? — не без злорадства констатировал парковщик, но, услышав в ответ все то же «отвали», убрался подальше, боясь гнева обиженного.

— Ну, как я тебе, — морщился Орел, осторожно трогая разбитый нос.

— Господи, Никита, поехали отсюда скорее, —

закричала Маша и, увидев, что машина тронулась, с неожиданным сочувствием спросила: — Очень больно?

— Нормально, повезло еще, могло быть хуже.

— Повезло, что не убили?.. Да что же это происходит? Они даже милиции не боятся. Ну что ты молчишь как истукан? Узнал что-нибудь про Илью?

— Илья здесь играет, — ответил уже совершенно спокойно Орел, промокая платком выступающую под носом кровь.

— На деньги?! — с ужасом воскликнула она.

— На гитаре. Ты даже этого не знала?

— Ну почему не знала. Он увлекался в школе, как все мальчишки, но чтобы играть в ночном клубе?.. Он мне этого никогда не говорил... А куда ты меня везешь?

— К метро...

Маша надулась.

## ГЛАВА 5

Никита долго смотрел, как Маша, цокая каблучками по асфальту, норовистой кобылкой семенила к метро. «Чайники», томящиеся в ожидании клиентов, провожали ее сальными взглядами, но ни один не решил предложить свои услуги. Дураки, они думали, что такая упакованная дамочка если и выбрала способ подземного передвижения и не берет машину, значит, на это есть свои причины и соваться нечего. Дураки. Нет недоступных женщин. Если нет ключа, надо подбирать отмычку. Отмычка любой замок откроет. Разница только во времени и затратах. Ну и ум, конечно, надо иметь.

Никита изменил первоначальное решение ехать к матери, с визгом шин развернулся на пятачке и погнал старушку «Ниву» на Голубинскую к Наталье.

По дороге заехал к цветочникам, но, кроме кал, ничего не было. Никита покупать не стал — не любил эти холодные цветы. Вот если он решится... Нет, неправда. Если так сложатся обстоятельства и ему придется окончательно разорвать отношения с женщиной, тогда и подарит в последний раз калы.

Пришлось поколесить. Кровь не унималась.

— Черт побери, уж не гемофилия ли? — мрачно думал он.

Тем не менее цветы были куплены, коробка конфет и бутылка «Салхино» (Наташа любила сладкие терпкие вина) покоились на заднем сиденье.

Вот и Голубинская.

Он припарковал машину, взял подарки и, перепрыгивая через лужи, пошел в обход детской площадки к подъезду. Сами собой в мозгу начали крутиться слышанные когда-то стишки:

Мимо теннисной площадки, мимо бабушек в скверу,
По пупыристой брусчатке, по окуркам и стеклу
Шли ботинки свиной кожи на резиновом ходу...

Никита поздоровался с бабульками, его здесь уже приметили, и, не дожидаясь лифта, через две ступеньки поднялся на третий. Позвонил. И тут ему пришло в голову, что Наташи может не быть дома. Дежурство в больнице или еще что. Для Никиты, а он не был у Наташи уже около месяца и вдруг решился, это было равносильно катастрофе. Уже одно то, что неизбежно предстоял серьезный разговор, — нет, она не стала бы упрекать, чего Никита просто не выносил, — делало его затею довольно рискованным предприятием. Орел чувствовал, как рушатся внутри него психологические барьеры, которые он старательно воздвигал все годы после развода. Решился, и на тебе... Ехать в больницу и, не дай бог, встретиться там с умным и насмешливым доктором Дубровиным, который, казалось, видел Никиту насквозь, не хотелось.

Когда дверь все-таки открылась и на пороге возникла она, лицо Никиты непроизвольно растянулось в улыбке.

«Мышцы приветливости», — машинально отметил про себя Орел, вспоминая урок, когда-то данный ему патологоанатомом Андрюшей, нижняя часть кругового мускула глаза. Если при улыбке нижние веки не приподнимаются — это верный признак неискренности. Он усиленно заморгал глазами, левый сразу пронзила резкая боль, и по щеке побежала слеза.

— Господи, ты плачешь?.. О-о-о, тебя избили...

Он больше всего боялся, что она будет шутить: их первая встреча прошла при аналогичных обстоятельствах и ни к чему хорошему не привела. Хотя почему ничего хорошего? Этот год многому научил обоих. Но ни он, ни она не сказали друг другу ни слова. Так, словно не было этого месяца. Так, словно это было обычным явлением. Служба.

— Проходи же скорей...

Наташа достала уже знакомый Никите ящичек с лекарствами и бинтами. Он привычно уселся в «свое» кресло, и она принесла ему «его» тапочки. Никите вдруг стало так хорошо, как в первые дни их знакомства. И от тапочек, и от кресла, и от нее, в конце концов, исходил знакомый и, теперь он понял, какой-то щемяще-родной запах.

Она обработала его раны, и по комнате сразу распространился запах лекарства. Ему стало покойно как никогда. Никита перехватил ее руку и прижал к губам.

— Прости...

— Ничего... Женщина полицейского должна привыкнуть к работе своего избранника.

— Прости, — повторил он. — Я просто мальчишка.

— Чай? Кофе? — спросила она. — Водки?

Он машинально кивнул.

Она на секунду застыла в нерешительности, но, поразмыслив, принесла водки.

Наташа прикатила из кухни сервировочный столик. Никита стоял у окна и смотрел на улицу.

Им бы сейчас,
Попивая саке, любоваться
Дивной картиной, —
Нет, бродит зачем-то народ,
Топчет на улицах снег.

— Таясу Мунэтакэ, средние века, а как верно сказано, — обернувшись, сказал Орел.

— Кто-то ведь и по делам идет, топчет снег. Не все бесцельно. Просто у тебя состояние души такое сегодня.

— Да. Сегодня у меня все ни к черту.

— Что-то случилось?

Он налил себе водки и хлопнул ее словно воду. Подошел к деревянной скульптуре, которую год назад окрестил «Хиросимой». Оказалось, это «Девушка у реки». Наташа когда-то мечтала стать скульптором, и если бы назвала свою конкурсную работу, как назвал ее Никита, возможно, ее приняли бы в школу зодчества и ваяния, она не стала бы медсестрой, а потом и Никита никогда бы не встретился с ней. Господи, сколько этих «если» довлеют над нашей судьбой?..

— Случилось... Нашелся сын. То есть он всегда был, а теперь вот нашелся. По всему выходит — попал в переплет.

— Это из-за него? — кивнула Наташа на синяк под глазом.

— Ерунда. Собственно, когда не видишь творение свое, и не шевелится ничего внутри. Просто из порядочности действуешь, потому что иначе нельзя, иначе сам себя потом изнутри съешь. Дура еще эта, моя бывшая жена, свалилась на мою голову. Устроила, понимаешь, спектакль.

— Не надо так... Даже о бывших. Унижая ее, унижаешь себя.

— Да ты бы видела ее!.. Вырядилась, как кукла. У нее несчастье, а она выглядеть хочет...

— Видишь ли, она — женщина. Вы же почему-то вспоминаете об этом только в определенные моменты. А повседневно ждете от нас каких-то поступков, понятных только вам. А это не так. Женщина может жить планами на будущее только относительно одного — семьи. В другом же прогнозировать стратегически не умеет. Это удается только отдельным особям, и, поверь мне, от того они не становятся счастливее. Жить мужским умом большинство просто не умеет и не хочет. Так что можешь гордиться, она хотела произвести впечатление. Пусть на бывшего, но мужчину. Ведь она тебя считает мужчиной, несмотря ни на что... Значит, было. Было между вами что-то...

— Мне это в голову не приходило. Сплошные уколы, намеки, недомолвки, театр...

— Уверяю тебя, она все еще помнит...

— Нет уж, увольте... Наелся.

Наташа пожала плечами.

— Ну ладно, хватит о ней. Как поживает доктор Дубровин? — спросил Орел. — Все еще шефствует над тобой?

— Нет. Его убили.

— Как?

— Забили... До смерти. Возвращался после дежурства, попал на каких-то каратистов, вот они на нем и отработали свои приемчики.

— Как обухом по голове... Он же мухи не обидит. Постой, а откуда известно, что каратисты?

— Гематомы характерные... В области почек, печени... Основная у сердца. Ударили так, что остановилось. У него было крепкое, доброе сердце.

Наташа заплакала.

Мужчины теряются при виде женских слез, вызванных ими самими, но это был другой случай. Никита сорвался с кресла и, встав на колени, обнял Наташу. Ее горячие слезы обожгли его щеки и все капали, капали...

Никита остался у нее. Это утром он поедет домой забрать кое-какие вещи и записную книжку. Для дела.

Утром начальник пришел на рабочее место раньше обычного. Попытался заняться отчетом, не получалось. Из головы не выходили события вчерашнего вечера. На все можно было наплевать и забыть, но героин есть и будет наркотиком. Сын тоже есть, пока есть... Будет героин — не будет сына. Надо было срочно с чего-то начинать. А начинать можно было только с ночного клуба.

Майор набрал номер телефона и стал ждать, и напрасно — он не подумал о том, что за час до начала на работу редко кто приходит, если нет особых причин. Сегодня у него, например, такие имелись: прежде всего надо было незамеченным проскочить в кабинет. Темные очки конечно же скрывают синяки и ссадины, но и повышают интерес, а потому: чем меньше видят, тем меньше спрашивают.

«От своих бы любознательных отвязаться», — подумал Никита и, услышав шум приближающихся шагов, быстро нацепил очки. Кто-то прошел мимо двери, пронесло...

Нет, с отчетом не ладилось, и он, набрав другой файл, стал просматривать еще одно горящее дело, периодически набирая номер телефона. Опять послышались шаги, вновь он оказался в очках, но на этот раз дверь открылась.

— О, и начальник уже на посту. Привет! Как говорится, кто рано встает, хороший пример для подчиненных, — бодро поздоровался Иван Павлюченко и, раздеваясь, продолжил: — Свежий анекдот про налоговую полицию. «Сидит Пятачок и пишет анонимку в налоговую: «Хорошо живет на свете Винни Пух»... А что это у тебя с лицом?

«Началось», — подумал Никита.

— Удар интеллекта по мысли.

— Нет, я серьезно. Где это тебя так?

— Слушай, Вань, отстань, а? Говорю же — с кровати упал.

— Понял, не дурак, — покачал головой Иван, поднимая вверх руки, и уже, когда уселся за стол, добавил: — А очки тебе не идут, сними, все равно видно, что по тебе грузовик проехал.

Майор наконец дозвонился.

— Привет руоповцам, — начал он бодрым тоном. — Орел беспокоит, помнишь такого?.. Серега, у меня просьба к тебе. Личная... Э-э, погоди минутку, — и, прикрыв рукой трубку, обратился к Павлюченко: — Послушай, капитан, пойди покури, а?

— Вот начальник у меня, не дает поработать, — бросил Иван, выходя из кабинета.

— Серега, слушаешь?.. Меня интересует все, что у тебя есть по ночному клубу «Мираж». Ну, там владельцы, связи, чем грешат. В общем, по полной программе, — и, увидев влетающего в комнату другого сотрудника, прервался. — Извини... Калинкин, у меня тут интимные дела. Иди покури.

— Так я уже месяц, как бросил, выпить могу, но лучше не с утра.

— Давай, давай. Шутить потом будем. Иди там с Павлюченко прогуляйся.

— Попомнишь, майор, — проговорил Калинкин и скрылся за дверью.

— Извини, Серега. В общем, мне этот «Мираж» нужен по полной программе, — продолжил разговор Никита. — Да я же говорю личное. Спасибо, жду звонка.

## ГЛАВА 6

Сиривля ждал хозяина в его кабинете, привычно расположившись в кресле напротив стола. Спокойно текущая жизнь была нарушена сегодня перед началом рабочего дня. Уборщица, пришедшая на работу раньше других, заметила в мужском туалете стоящий у стенки черный «дипломат». Дождались его, начальника службы охраны, ни к чему не прикасаясь, согласно инструкции, разработанной им лично.

«Дипломат» стоял в таком месте, что попасть туда случайно просто не мог. Он был оставлен здесь сознательно, что и подтвердилось после проверки металлодетектором и последующим вскрытием. В «дипломате» ничего не было, кроме конверта с надписью: «*Это интересно*». А то, что оказалось в конверте, было действительно интересно и не выходило из головы начальника службы охраны уже больше часа.

Шеф появился на службе, как всегда, минута в минуту.

— Какие новости, привет, — начал было он обычную фразу, но не договорил, увидев на середине своего стола незнакомый «дипломат». — А это зачем здесь?

— Да вот яичко к Христову дню, — усмехнувшись, пошутил Сергей Павлович и добавил: — Дела...

Все было, как в сказке, — «дипломат», в «дипломате» конверт, в конверте записка, в записке текст:

1. Мамонт
2. Столб
3. Сайгак
4. Грузовик

*«Ничего не имею против вашего маленького бизнеса. Гарантирую молчание и конфиденциальность из десяти процентов от сборов»,* — прочитал шеф и, на минуту задумавшись, обратился к Сиривле:

— Все эти четверо наши покойники с самого начала боев, и порядок выдержали, паскуды... Я не верю, что это мог сделать кто-то из наших людей или наших клиентов. Выясни, кто работает на этого подонка. До следующего боя я должен знать, кто набивается к нам в «партнеры». Ты меня понял?

— Будьте спокойны, я его наизнанку выверну. Вы дальше почитайте, — посоветовал Сергей Павлович. — Там ниже написано, что нам надлежит сделать... Ну засранец, ну нахал... Короче, надо сегодня вечером оставить этому мудаку «дипломат» с деньгами в кабинке Сандуновских бань, а курьер должен на пятнадцать минут уйти в парилку.

— А вот курьером этим будешь ты, Сережа, — объявил приговор хозяин, поняв в чем дело. — Иди готовься, через час увидимся. Да, веник не забудь...

Через час так через час. Когда все отлажено, час это целая вечность. Ребята понятливые, по два раза повторять не приходилось. Все работало как часы...

Ровно через час Сиривля снова утопал в кресле, на полированной поверхности стола лежал знакомый «дипломат», а хозяин укладывал в него пачки стодолларовых купюр. Их было пять.

— Может, «куклы» сделаем? Зачем зря рисковать-то? Все равно ведь возьмем этого урода, когда деньги будет забирать, — предложил подстраховаться Сергей Павлович.

— Нет, Сережа. Пятьдесят штук — это ерунда! Он меня на бабки разводит! МЕНЯ!!! Да я бы пятьсот штук отгрузил, чтобы поймать этого наглеца, — возразил шеф и, закрыв «дипломат» на ключ, бросил связку в стакан с карандашами. — Замочки хиленькие, но хотя бы подстрахуемся от любопытных.

— Береженого Бог бережет, — пожал удивленно плечами Сиривля. — Я бы куклы положил, мало ли что.

— А чего ты боишься? Разве не принесешь их обратно?

— Да ребята глаз не спустят с этого «дипломата». Так его возьмем, что и пикнуть не успеет. Я ему жопу намылю, век помнить будет, как в баню приглашать, — петушился охранник.

Всегда на удивление спокойного и уверенного в себе, Сергея Павловича сегодня словно подменили. Последние полчаса его что-то угнетало... Нет, это не было то уязвленное «я», как в случае с шефом. За всей простотой что-то стояло, и он это чувствовал. Сиривля наперед знал, что никто не придет, ибо владеющий информацией о матчах бесспорно знал, насколько совершенна система охраны заведения и что в ней работают не тупоголовые качки, а накачанные профессионалы.

Кто-то знал и все равно шел, а значит, был уверен в успехе. Это был безусловно вызов, и он, разумеется, принимал его, будучи уверенным, что все пройдет или очень просто, или наоборот — не по зубам.

— Не забудь, Сергей, мне он нужен для подробной задушевной беседы. Хотелось бы, чтобы рассказал, кто из наших работает на сторону и как им удалось провернуть этот простенький шантаж. Я очень на тебя рассчитываю, — заметив состояние Сиривли, напомнил шеф и, закрыв «дипломат», приказал: — Чтобы через два часа этот ублюдок уже был у меня в подвале и в надлежащем виде. Понял?

— Будет... Если, конечно, рискнет забрать деньги. В чем я сомневаюсь. Ну, мы попылили...

— Подожди минутку, — попросил шеф, услышав телефонный звонок в приемной, и вышел, чтобы снять трубку, а через минуту из приемной вновь раздался его голос: — Палыч, не поможешь найти, где у нее телефоны записаны. Здесь телефон просят... Что-то у нас с вытяжкой не в порядке.

— Вечно у него то понос, то золотуха, — по-стариковски проворчал Сиривля, поднимаясь с кресла.

Однако минуточка вылилась в добрые четверть часа, пока нужная информация поступила к главному менеджеру.

— Как она только разбирается в своем бардаке, а ведь классный секретарь, я бы ее и на трех длинноногих не променял, — заметил шеф и с радостью добавил: — Обещала на следующей неделе выйти на работу.

— Да ладно прибедняться насчет ног-то... Наталья и сейчас многим сто очков даст вперед... А как ее чадо, я понял — выздоравливает?

— Правильно понял... — весело ответил начальник и не без гордости добавил: — Видел бы ты ее лет десять назад... Ну топай, удачи тебе...

— К черту... — сплюнул Сергей Павлович и вышел.

Уже через час Сиривля с «дипломатом» в руке прошел в сопровождении слегка заикающегося банщика к свободной кабине.

— Вот сюда, пожалуйста. Что-нибудь закажете? Пивка, рыбки, можно и водочки с икоркой. Вчера получили. Домашний засол.

— Нет, я ненадолго. Вот возьми.

— Спасибо. Легкого вам парку! Может, веничек заварить? — подобострастно спросил банщик, опуская в карман сторублевку.

— Я не люблю веников, ты свободен!

Пока он ничего подозрительного не заметил, все

шло гладко. Банщик не новичок, да и что он может. Завернутые в простыни четверо парней в кабине напротив дали понять, что все впорядке.

«Пойдем дальше», — с удовлетворением подумал Сергей Павлович и, раздевшись, ушел в парную.

Время пошло — охота началась... Отдыхающая компания из четверых ребят без видимого напряжения внимательно следила за происходящим. Не было ни одной секунды, чтобы меньше двух пар глаз одновременно не смотрело на «дипломат», стоящий напротив. Пиво замерло в стаканах, и только непринужденно велась тихая банная беседа.

Каждый проходящий мимо кабины с «дипломатом» вызывал их мгновенную реакцию повышенного внимания, но ни разу не наблюдалось заинтересованности ни по отношению к ним, ни к кабине напротив, ни к стоящему в ней «дипломату». Только один раз распаренный мужичок лет пятидесяти с незажженной сигаретой в руках потревожил их тихую заводь.

— Ребятки, прикурить можно у вас? — спросил он с добродушной улыбкой, которая вмиг сошла с лица.

Дорогу ему преградил огромный детина с недобрым подозрительным взглядом.

— А-а-а... Ну нет так нет... Тогда я пошел, — только и вымолвил он, испуганно попятившись назад.

Начальник тоже не терял времени даром. Сидя на нижней полке, он исподлобья внимательно изучал поочередно всех парящихся, а уж тем, кто выходил, доставалось особенно. Но вот пошел к выходу и он...

— С легким паром, — произнес хозяин, увидя входящего в кабинет начальника охраны. — Ну рассказывай.

Сиривля, не снимая элегантного пальто, положил перед шефом на стол злополучный «дипломат» и опустился в кресло.

— Да, собственно, рассказывать-то и нечего. Говорил же, что никто не придет, так и вышло. Я просидел в парной не пятнадцать, а двадцать минут. Четверо моих ребят в кабине напротив.

— Ну и как думаешь, почему никто не пришел? — спросил хозяин, постукивая по «дипломату» золотым «Паркером».

— Возможно, просто испугался.

— Что же его могло напугать? Уж наверное не сумма, которую мы ему приготовили. Спугнули, суки.

— Мои люди действовали очень аккуратно, если вы их имеете в виду, — ответил охранник и, немного подумав, продолжал: — Мог расколоть только высокий профессионал... Но вот что странно: специалист никогда не будет назначать встречу в таком неудобном месте... Как бы то ни было, деньги он забрать побоялся, значит, будем ждать повторного предложения. Тогда, возможно, и узнаем, почему сегодня все сорвалось.

— Значит, по-твоему, есть надежда встретиться? И тог... — спросил хозяин, открывая «дипломат», но запнулся на полуслове, после чего послышался крик: — Где деньги?!

Сиривля, как укушенный, вскочил с кресла — денег не было.

— Что?! — закричал он, не желая верить своим глазам.

— А вот что, — визгливо орал в ответ хозяин, выбрасывая из «дипломата» заклеенные скотчем пачки грубо нарезанной газетной бумаги соответствующего размера. — Не пришел!.. Он, видите ли, знал!.. Может, и об этом ты знал?.. Он развел тебя, дебил, как лоха!

Сергей Павлович стоял с бледным лицом и бешеным взглядом.

Желваки на скулах непрерывно перекатывались.

Гнев требовал выхода... Он схватил «дипломат» и начал его вертеть, простукивать, а затем с яростью бросил опять на стол...

— Ты по черепу своему лысому постучи, рахит... Как последний идиот потел в парной, когда твои придурки лакали пиво и позволили, ослы, *ему* какимто образом подменить «дипломат», — начал монолог хозяин, заливаясь истерическим смехом. — Теперь ты, как пионер, хлопаешь передо мной глазами, а он считает наши деньги! Мои деньги! И смеется надо мной. Да я тебя после этого в швейцары не возьму, двери открывать разной шушере не доверю.

Он на какое-то мгновение замолчал, а потом резко, словно нож, вонзил в кожу «дипломата» золотой «Паркер» и продолжил, выговаривая слова с холодной, спокойной яростью:

— Мне наплевать на эти пятьдесят штук, ты со своими идиотами отработаешь их за месяц. Не это главное. Но если ты не притащишь мне этого ловкача... В общем, сам знаешь, чем это для тебя может кончиться. Ищи... Землю рой, но найди!..

Сиривля знал: это все трепотня про то, что сумма маленькая и тьфу на нее. Ни один деловой, ни один вор не позволит украсть у себя копейки. Любой прокол ведет за собой потерю престижа, а это значит, разболтанность в рядах бойцов, пренебрежение к своим обязанностям, желание урвать свой кусочек, когда шеф не видит, а значит, потеря власти, развал, тюрьма, а то и свои съедят.

Нет, не мог позволить себе хозяин, чтобы его объегорили даже на десятку с носа. Другое дело — попроси, выручит, но тут уж, как собака, лижи все места, какие предложат. А за такие дела надо наказывать и безжалостно, дабы неповадно было.

Сиривля помнил, как наказали сутенеров на Ленинградке. Мужикам легче. Им просто переломали ноги. Но там попалась одна Мама.

## ГЛАВА 7

В кабинете начальника охраны за массивным двухтумбовым столом в позе роденовского мыслителя сидел хозяин и свободной рукой рисовал всякую ерунду на рекламном проспекте одной из туристических фирм. Напротив, бросая недоуменные взгляды то на него, то друг на друга, сидели трое молодых людей из тех, кто находился в бане. Вид хозяина не предвещал ничего хорошего, и неизвестность пугала их.

— Такая уж у нас, ребята, работа, — ни с того ни с сего, тяжело вздохнув, вымолвил молчавший до этого Сиривля и, пристально посмотрев на присутствующих, вновь задумался.

Он их вызвал сюда, в свой кабинет, чтобы разобраться в случившемся. Ждали четвертого. Не то чтобы он не доверял этим ребятам. Причин на это не было, так как, во-первых, парни хотя и были со стороны, он их хорошо знал, а они друг друга нет, и уж тем более их не знал тот, кто должен был прийти. Во-вторых, они не знали, что в «дипломате» замки не вскрывались, в этом было нетрудно убедиться. Да и просто так подставлять задницы никто не будет, может, внутри бумаги для кого-то и бесценные, а для остальных мусор.

Однако пачки с бабками ног не имеют... Это было ясно, но они ушли.

Стук в дверь прервал его размышления.

— Да, — резко бросил хозяин кабинета.

В дверь просунулась голова того, кого ждали.

— Можно?

— Можно козу раком... Входи, — сердито позволил начальник и посмотрел на часы, но придраться было не к чему — до назначенного часа оставалось пятнадцать секунд.

Сиривля встал и, подойдя к окну, уставился в него, выдерживая паузу. Гости, почувствовав себя неуютно, тоже встали и, переминаясь с ноги на ногу, смотрели на его могучую спину, ожидали начала разговора.

— Когда он подменил «дипломат»? — как можно суровее спросил Сиривля не оборачиваясь.

Квартет замер, боясь пошевельнуться. Все ошарашенно молчали.

— Когда он подменил «дипломат», я спрашиваю?

— Что значит — подменил, Сергей Павлович? — растерянно спросил один из них, тот, кто был постарше.

— А то, что вас развели, как младенцев! — резко развернувшись и подскочив к ребятам, заорал хозяин кабинета.

Неожиданный и сильный удар в челюсть опрокинул задавшего вопрос парня на пол. Второй удар — и стоящий рядом опустился на стул с выпученными глазами, жадно глотая воздух.

— Пока я, как идиот, сидел в парилке, вы просрали пятьдесят тысяч баксов! Я хочу знать, как это могло случиться! Чем вы там занимались? Задницы друг другу прочищали?

— Этого быть не может, Сергей Павлович, — убежденно возразил, вытирая кровь в уголке рта, поднявшийся с пола. — В бане к «дипломату» никто не прикасался. Мы глаз с него не спускали...

Сиривлю не успокоил этот всплеск эмоций. Он нервно ходил туда-сюда вдоль застывшей шеренги, потирая саднящие кулаки, и бешеным взглядом смотрел в глаза каждому.

— Если кто-то из вас решил немного подколымить... Лучше сразу пусть повесится... Глаз, говорите, не спускали... А денежки смылились в чужой карман, — повторил он мысль несколько раз, но ребята выдерживали взгляд и не отводили глаза...

— Ладно, верю... — тяжело проговорил начальник, выпустив пар, и снова отвернулся от ребят, уставившись в окно. — Тогда где же, черт возьми, он умудрился подменить «дипломат»?

Парни молчали, да и что они могли сказать, если каждый из них действительно все это время не терял «дипломат» из виду.

Сиривля отошел от окна, достал из нижнего ящика стола стаканы, пару бутылок коньяка и несколько шоколадных конфет.

— Вы меня, мужики, знаете не первый год, я вас тоже иначе бы не пригласил сюда. Мужика, который предложил нам это дело, какая-то сука на крючке держит. Заглотнул он круто... А мы не только эту падаль не взяли, но и полсотни полных пачек зеленых упустили... Ситуация, сами понимаете, хреновая, — объяснил начальник суть дела, разливая коньяк. — Ну, вздрогнем...

Выпили молча.

— Думайте... Шевелите мозгами... Пожалуйста, не считайте, что я вас сюда пригласил, чтобы сообщить эту новость. У нас срок три дня... Понимаете, три дня, а затем за наши шкуры никто гроша ломаного не даст. Я-то хоть пожил немного, а вот вам бы еще надо пожить... Да вы садитесь, чего спешить, у нас еще целых два дня впереди, — попытался пошутить Сиривля, но ребята не откликнулись на шутку, а он продолжил. — Говорите не стесняясь, что думаете, какие будут вопросы. Здесь все свои, тем более теперь, когда оказались в одной жопе... Я слушаю вас, господа офицеры. Начнем слева направо.

— Вы сами-то деньги видели? — спросил сидевший слева.

— Видел, сам взял и, как вы знаете, сам вам передал, здесь все чисто, если, конечно, вы мне верите.

— Сергей Павлович, вы о чем... заканчивайте... — прервал ненужные объяснения парень, все еще державший платок у разбитого рта, и продолжил: — В машине никого, кроме нас, не было, в бане тоже не могли подменить, «дипломат» в заднице не пронесешь... Чудеса какие-то.

— Чудеса не чудеса, а нам расхлебывать, — подал голос пришедший последним. — А этот мужик-то очень крутой, а то, может быть, уберем его в два дня, а уж потом пошукаем и того с деньгами. У меня есть толковое болотце на примете...

— Крутой не крутой, а до полной победы все не доживем, это точно. Так что пока выбросьте это из головы, — приказал Сиривля. — Чует мое сердце, что здесь сосунок какой-то работает, очень уж дерзок. Даст он нам еще один шанс... Чувствую, даст, и скоро. Так что пусть каждый подумает, а завтра... нет, послезавтра встретимся и обмозгуем, как нам этот шанс не упустить...

Парни ушли. О чем они думали, того Сиривля не знал, а вот у самого нет-нет да закрадывалась мысль об источнике утечки информации. Это или свой, или человек настолько близко подошедший к системе, что оставалось только два выхода: или смерть, или вовлекать в общую структуру. Конечно, на второе решение хозяину пойти будет трудно, практически невозможно, да и кто он такой, чтобы лезть в советчики. Нужно время, дабы выбрать момент, а времени как раз и не было.

Господи, как спокойно и хорошо было раньше. И деньги давались свободнее. Стоит только вспомнить время работы в ЦСКА. Сборы, поездки, спортивное строительство.

Палыч так ярко вспомнил Олимпиаду в Москве. А ведь готовиться начали чуть ли не за восемь лет. Какие капиталовложения? Только осваивай. И осваивали. И как! Палыч даже крякнул от удовольствия. Как-то сидели в гостинице. Народ набился разный. А рядом с Палычем не то строитель, не то аферист почище Бендера. Так вот этот Бендер разложил все по полочкам. Вроде в шутку, но многие задумались, а кое-кто взял на вооружение. По Бендеру выходило, что чем ближе Олимпиада, тем больше останется неосвоенных средств, а у нас как? Не освоил — в следующем году получишь шиш, вот и кинутся искать любого подрядчика с любой идеей. Столовок у нас мало, кормить массу гостей практически негде. Предложить сеть сборных кафе. Если скажут, что однодневки, — написать в техобосновании, что потом их можно использовать как угодно. Хоть под склад, хоть под АЗС, хоть под спортзал, теннисный корт... Хоть под сортиры...

Палыч улыбнулся. Так ведь и вышло. Пустыри порасхватали. Кто у нас столичную землю считал? И пошла писать губерния. Настроили. Потом передали общепиту под пивные. Затем стали бороться с пьянством... Эх, страна чудес. Почет. Ордена. Астраханский залом в магазинах лежит. На улицах сплошное ментовидео.

Нет, страна хорошая. Все можно.

Однако... к ребяткам все-таки приглядеться надо.

Палыч решил перебрать в памяти всех, кого обижали вольно или невольно. Такие были в силу строптивого характера, дурных идеалов или денежных разборок.

## ГЛАВА 8

Давно немытая «Нива» Орла, чуть взвизгнув тормозами, остановилась на площадке перед ночным баром «Мираж», четко вписавшись между двумя сияющими иномарками. Хозяин посмотрел на себя в зеркало и остался доволен, синяк под глазом был почти незаметен. Не то что дома в зеркале ванной комнаты. Он даже хотел отложить поездку: уж так он его раздражал, пока брился. Но потом решил, что сойдет...

Никита хотел выходить и задержался только для того, чтобы выложить в письменный стол удостоверение и дискетку, полученную от Сереги из РУОПа, когда вернулась мать и застала его такого расфуфыренного.

— Господи, что с тобой, Никита? Куда это ты? — спросила она, явно недовольная видом сына.

— Так, с одним человечком нужно встретиться...

— Это не из-за нее тебе глаз подбили?

— А что, видно?

— А то нет. Дай хоть немного замажу... — предложила она.

— Только ничего не спрашивай, ладно?

— Конечно, конечно, я же понимаю — работа, — она потянула носом воздух.

— Мама!

— Что мама? Я у себя дома. А вот от тебя пахнет вчерашним и ...женщиной.

— Мама, я же просил...

— А я ведь еще ничего не спросила. Я так, размышляю вслух. Ты ведь с Марией встречался?

— Так. Я же тебе говорил, что она звонила. У нее непорядок с сыном. Надо помочь.

— Илюше? И ты помог, — констатировала она. — Сиди не дергайся, а то кремом в глаз попаду. Значит, сначала ты помог, схлопотал по морде от ее нового мужа и с горя поехал к своей?..

— Я же просил...

— А я ничего. Это ведь риторический вопрос. Отвечать необязательно. И потом, кто же с матерью делится? Одни дураки, мы-то ведь сами с усами.

— Я тебе все-все расскажу... Только потом. Хорошо? Я действительно встречался с Машей. Привет тебе от нее, — соврал он.

— Я в ее приветах не нуждаюсь. Ты Илюшу видел?

— Ищу.

— Ищи.

— Ищу... О боже, все уже?

— Ты серьезно решил вернуться к Наташе?

Орел заерзал.

— Сиди уж... Если решил — делай. Нечего бабе мозги шевелить.

— Все. Я понял.

Никита решительно поднялся. Он уже давно подозревал, что замазывание синяка просто повод вытянуть из него сведения о его личной жизни. С другой стороны, он действительно не очень охотно делился с ней своими бедами. О разводе та узнала спустя полгода. Никита убеждал себя, что поступает так, жалея ее слабое сердце. На самом деле в свою личную жизнь Никита никого не пускал.

— Раз понял — иди. Я думаю, что воспитала не подлеца, а порядочного человека.

— Порядочного. Успокойся. Мама, я возьму?..

Он показал на акварельку на стене:

— К ней?

Мать вздохнула и кивнула.

Никита аккуратно свернул акварельку в трубочку, намереваясь перед «Миражем» завезти ее к Наташе.

Уже в машине посмотрелся в зеркало заднего вида. На первый взгляд с лицом было все в порядке. Если не вглядываться. Молодец мама.

Сейчас он с благодарностью вспомнил это, выходя из машины.

Как и в прошлый раз, к нему тут же подбежал уже знакомый парковщик:

— Добрый вечер. Вы к нам надолго?

— Думаю, что сегодня погощу подольше, чем в прошлый раз, — ответил Никита, протягивая ему сотенную.

Люди, выбравшие себе профессию, подобную

этой, легко сговорчивы, а главное — их улыбка и доброжелательность пропорциональны дензнаку. Впрочем, Орла учить не надо.

— Спасибо. Можно дать совет?

— Попробуй.

— Не пытайтесь тут мстить кому-нибудь. Может, вы и крутой, но сюда пологие не ходят. Не в обиду, хорошо?

— Учту, — искренне улыбнувшись, пообещал Орел. — Ты здесь за моим джипом приглядывай, а то мне далеко до дому добираться.

В длинном распахнутом плаще, под которым был виден элегантный костюм, Никита мало походил на выставленного в прошлый раз нервного ковбоя в куртке, и тем не менее его узнали сразу. Двое крепких молодых людей со специфическими физиономиями переглянулись и на всякий случай синхронно пошли к нему навстречу, несмотря на его беспечную улыбку.

— Привет, парни. В прошлый раз я вел себя неправильно, и не в обиде.

Охранники в замешательстве остановились и снова переглянулись между собой.

— Да, осознал. Приношу извинения...

Охранники оттаивали на глазах, а один даже позволил себе улыбку.

— Ну, если урок впрок пошел... проходи, раздевайся, — произнес педагог, пожав плечами.

«Эти идиоты желают трудиться, будто работа у них сдельная», — усмехнулся про себя Никита, а вслух добавил:

— Все в порядке, а где можно раздеться?

Охранник кивнул в сторону гардероба.

— Проходите. Гардероб налево...

Никита сидел за одним из свободных столиков и, потягивая сигарету, разглядывал зал и присутствующих в нем, как делают многие в ожидании официанта. Справа от него освещенный мягким светом, чуть размытым дымом сигарет, был зал, пока еще не полностью заполненный. Слева светилась стойка бара, около которой ворковало с полдюжины откровенно одетых, а вернее, раздетых девочек, ожидающих своего часа. Дальше за баром располагалась эстрада. Сверкающие инструменты предполагали музыку и танцы. Неожиданно появился из-за спины официант, приветливо улыбаясь, поздоровался и, оценивающе осмотрев посетителя, начал было давать советы относительно сегодняшней кухни.

— Двести водки, салат, селедочку и минералку, для начала, — как само собой разумеющееся, перечислил гость, прервав начатую рекламную кампанию и не утруждая себя знакомством с ассортиментом блюд и закусок.

Ужин начался почти одновременно с первыми аккордами. Приятная мелодия располагала расслабиться, но публике пока еще было не до музыкантов, и последние ответили тем же — закончилась еще одна мелодия. Стороны берегли силы... Никита, закусив после первой, затянулся, глядя в глубь зала, когда шум разговоров был заглушен нарастающим гулом аплодисментов, свистом и выкриками. Кричала молодежь, составляющая добрую четверть посетителей.

— Уху! Орел! — закричала девушка за соседним столиком, вскакивая из-за стола и размахивая поднятыми руками.

Майор, услышав ее крик и свою фамилию, повернул голову и увидел на эстраде улыбающегося молодого человека, проверяющего настрой акустической гитары.

Кивок головы в сторону музыкантов, и зазвучала мелодия популярной песни.

Никита, не отрывая взгляда, смотрел на тощую фигуру парня, непринужденно двигающегося на сцене, стараясь узнать что-нибудь в его внешности от того ребенка, которого он в последний раз видел много лет назад. Целую вечность. Ничего не получалось. Парень как парень, таких тысячи. Отец изо всех сил старался обнаружить в мальчике что-нибудь такое, что подсказало бы, кто в данный момент поет на эстраде, мысленно пытался вспомнить свои фотографии этого возраста, но тоже ничего не выходило. Можно было точно сказать только одно, что сын, если это был он, не копия отца, ибо ни телосложение, ни цвет волос не имели ничего общего с прототипом, хотя это еще ничего и не значило.

Хорош папочка, нечего сказать, сына своего вновь увидел только через восемнадцать лет, зато отлично помнит, что коляска синяя была и даже какую очередь за ней отстоял, помнит. Хорошая память у папы...

Тут он, конечно, покривил против правды. Не

сразу от сына отлучили. Не сразу с тещей разборки начались. Он хорошо помнил первую ссору и первый веский упрек. Тогда Мария сказала, что он скрыл, что до нее уже был женат. Женат на своей работе. И разводиться не собирается. Вот и выходит, что Никита Орел двоеженец.

Тем временем зазвучала красивая мелодия другой, уже незнакомой песни, а Никита все так же, впившись глазами в теперь уже застывшего на одном месте парня, слушал, хотя и не осознавал, о чем поет сын.

— А кто это на сцене? — спросил он девушку, бурно реагирующую на выход певца.

— Что, нравится? — ответила та вопросом на вопрос, отвернув голову от эстрады.

— Нравится.

— Странно.

— Что ж тут странного?

— Старенький ты, дядя.

— Некоторые так не думают.

— Но это, наверное, вроде тебя тетки?

— Помоложе.

— Ну, мне-то ты и на хрен не нужен.

— Принца подавай?

— Зачем? Двух. Одного... так лет на двадцать постарше, а для души на десять помоложе.

— М-да... Поговорили.

— А ты че, меня клеишь? Ну дал... В казино поведешь? Или мороженым обойдешься?

— Я тебе два куплю, только расскажи про этого... на сцене.

— Орел. Но не из тех, что высоко летают, а из тех, что дерьмо клюют.

— Ты музыкальный критик или у вас принято так друг друга? — обиделся за сына Никита.

— Да нет... Он вообще-то парень ничего. Месяц здесь гитару рубит. Только менеджера приличного нет. И песня эта его. Хорошая песня, — потеплела дева.

— Значит, выдвинется?

— Ага. Если самого не задвинут. Тут ведь даже не лотерея. Надо уметь либо чужую задницу лизать, либо свою подставлять.

— Крутые у вас порядки... А зовут-то его как?

— Ты че, менеджер, что ли?

— А похож?

— Не очень.

Никите стало ясно, о чем она сейчас подумала. Явно заинтересовалась. Настоящих менеджеров вряд ли видела. Все больше трепачей.

— Так как зовут Орла?

— Илья...

Вечер уверенно набирал обороты. Обстановка в кафе становилась все теплее и непринужденнее. Разгоряченная выпитым, публика постепенно начала вспоминать, что пришла не только поболтать и убить время, но и повеселиться. За многими столами стали раздаваться голоса, подпевающие певичке на эстраде, которая сменила Илью, а в перерывах между ее выступлениями то там то здесь появились солисты, рискнувшие доказать, что и им не медведь на ухо наступал. Группа «ночных бабочек» перед эстрадой заметно поредела, разлетевшись по всему залу, поднимая настроение у пригласивших и умело подзадоривая на «подвиги» и пожертвования во имя прекрасных дам, к которым себя причисляли. Площадка перед эстрадой заполнялась все больше и больше с каждой исполняемой песней, а уже солидные дамы и господа крутились и прыгали в зажигательных танцах, сотрясая и пол, и телеса наравне с молодежью. Наступило время, когда публика входила в раж. Уже пара посетителей исполнила цыганочку с выходом, исполнила, может быть, неумело, но зато в неискренности заподозрить тетенек и дяденек было никак нельзя. Это завтра утром будет раскалываться голова, давить сердце, ныть печень и почки, но это только завтра, а до этого еще есть время получать удовольствие, и публика этим пользовалась на всю катушку.

Никита по-прежнему в одиночестве сидел за столиком, наблюдая окружающих.

Официант после пары попыток раскрутить посетителя перестал обращать на него внимание, однако графинчик с водкой и салатник заменил предельно быстро. Видимо, что-то настораживало его в этом одиноком мужчине, старающемся незаметно разглядеть посетителей. Из-за опасений вызвать неудовольствие гостя он даже не стал к нему никого подсаживать, хотя места в зале были заняты почти все, разве что пара столиков, забронированная для нежданных гостей. Это не факт, что незваный гость хуже татарина, есть такие незваные, что отца родного с таким радушием встречать не станешь.

Именно такой гость и появился в разгар веселья. Полный, среднего роста мужчина лет сорока пяти не спешил проходить в зал, оглядывая публику мимолетным взглядом. Но его приход был замечен сразу же, и не прошло минуты, как к нему устремился главный менеджер, радушно улыбаясь и на ходу протягивая руки. Гость слегка улыбнулся в ответ и протянул для приветствия руку, которую Макс тут же схватил двумя, задержал чуть дольше обычного, после чего посетителю был предложен столик.

Менеджер, слегка склонив корпус и раздвигая одной рукой танцующую публику, а другой поддерживая локоть мужчины, повел его за собой к приват-кабинке. Он, ни на секунду не прекращая выказывать радость по поводу появления в их стенах такого дорогого гостя, то и дело оборачивался к последнему, пытаясь угадать по выражению лица его настроение и желания.

Проходя мимо столика Никиты, посетитель на мгновение замедлил движение, и его брови удивленно взлетели вверх, но, увидя, что сидящий за столом поворачивает голову в его сторону, ускорил шаг.

— Забыл ты нас, Александр Семенович, совсем забыл, — с улыбкой приветствовал гостя, приглашая присесть, появившийся хозяин заведения и, усаживаясь напротив, добавил: — Что так давно не был?

— Побойся Бога, Бартеньев, неделя всего лишь прошла, как мы с тобой...

— Да, приятно вспомнить... Ну как трудовые будни? Все коррупционеров ловишь?

— Работа, Вячеслав Сергеевич, сам понимаешь. А ты отлично выглядишь! Бизнес процветает?

— Ты что, с ума сошел, Лазаренко?.. — вместо ответа испуганно прошептал хозяин и замолчал, увидя подходящего официанта.

Последний торопливо подходил к столу, перелистывая блокнотик, готовясь принять заказ.

— Рады вас видеть! Вам как всегда? Сегодня у нас осетринка заливная, язык проглотишь. Очень рекомендую.

— Вот-вот, это блюдо как раз для нашего гостя, — смеясь, подхватил Бартеньев.

— Ладно, тащи свою осетринку. Ну, и как всегда, коньяк и травку... Кинзу я имею в виду, — уточнил гость. — Да, сырку с лимончиком, ну и еще чего-нибудь на свой вкус.

— А для меня «минералочки» захвати и рыбки солененькой с грибками, — засмеялся хозяин, подмигнув официанту, и убедительно добавил: — Да побыстрее.

— И когда ты благородные напитки любить станешь?

— Никогда, я патриот! Пока здоровье позволяет, горькую пить буду, а потом на кефир перейду.

— А чего же тогда ты мне сало не заказал? — засмеялся Лазаренко и, незаметно оглядываясь на Никиту, уже серьезно спросил: — А ты что, Слава, налоговую прикармливаешь?

— Налоговую? С чего ты взял? — обеспокоенно спросил Бартеньев и, невольно посмотрев по сторонам, замолчал, о чем-то размышляя.

Подошедший официант, быстро разложив тарелки с приборами, начал сгружать с подноса и расставлять заказанное на столике.

— Все, ступай, мы тут сами разберемся, какой вилкой что есть, — нетерпеливо распорядился хозяин и, смотря в спину уходящему официанту, спросил гостя: — Чего это ты, Саша, про налоговую заговорил?

Лазаренко не спеша налил коньяк и, дождавшись, когда сидящий напротив нальет себе водки, выпил вместе с ним за встречу. И только после того, как так же не спеша закусили, возобновил разговор:

— У тебя с налоговиками все чисто?

— Доброе утро... Приехали...

— Зря удивляешься. Скажи тогда, что у тебя здесь делает налоговая полиция?

— Где?

Лазаренко глазами показал в сторону столика Никиты и спросил:

— Мужика в черном костюме видишь? Один сидит за столиком.

— Этот с лоховым прикидом? — найдя взглядом Никиту, спросил Бартеньев. — К Алусе клеился.

Гость налил себе еще и, не дожидаясь хозяина, выпил, а затем, наслаждаясь вкусом осетрины, ответил:

— Угу... Майор, кажется, теперь, Никита Орел, фамилия такая... Хотели подполковника кинуть, да он всю конфискацию спалил. До этого МУР. Активный был мент, когда-то с привилегиями боролся... Так что смотри, Слава, отечество в опасности... Я бы очень хотел, чтобы он здесь случайно оказался, и очень не хотел, чтобы меня здесь видел... с тобой...

— С привилегиями борец, говоришь, — внимательно глядя на Никиту, проговорил хозяин и, поднимаясь, попросил: — Посиди минутку без меня.

— Конечно! Работа есть работа, — согласился Лазаренко, наливая еще одну.

Бартеньев поднялся из-за стола и пошел по залу, делая какие-то замечания вмиг оказавшемуся рядом менеджеру и не переставая следить за Никитой.

Орел же был полностью поглощен происходящим на эстраде и не обращал на персонал никакого внимания. Это было отмечено хозяином, как и нескрываемый интерес гостя к певцу. Несколько успокоившись, Вячеслав Сергеевич отослал менеджера и незаметно подозвал к себе смазливого парня с косичкой, сидевшего за стойкой бара, который почти бегом, легко лавируя между столами, поспешил к нему.

— Иван, дело к тебе есть серьезное, — тихо сказал он подбежавшему молодому человеку. — Четвертый столик во втором ряду от эстрады. Мужик в черном костюме.

Парень, чуть повернув голову по направлению взгляда Бартеньева, быстро нашел Никиту и, тотчас же отвернувшись сказал:

— Видел, на певца запал.

— Во-во...

— Так, Вячеслав Сергеевич, Илья же не по этому делу...

— А ты прощупай аккуратненько, по какому делу

здесь этот гость, и если нужно, то подбрось ему кого-нибудь по льготному тарифу, но чтобы качественно... Иди, не мне тебя этому учить, — чуть подтолкнул хозяин молодого человека и уже вслед добавил: — И еще проверь, не вынюхивает ли здесь что-нибудь... Только нежненько.

— Понял. Нежненько. Да как же иначе-то. Все сделаем как надо, не волнуйтесь, Вячеслав Сергеевич, — начал свои заверения Иван, польщенный оказанным доверием, но Бартеньев его уже не слушал, направляясь к столику Лазаренко, да к тому же нисколько не сомневался, что все будет сделано хорошо, так как в этом заведении по-другому его поручения не выполнялись.

Александр Семенович встретил его пылающей физиономией, с многочисленными капельками пота на больших залысинах и блестящими глазами. Коньяк и обильная закуска разморили гостя, но он был не пьян.

— Повторить? — спросил хозяин и, увидев отрицательное покачивание головой, сообщил: — Я к нему сутенера подослал, пощупать, что к чему, может, клюнет...

— Зря ты все это. Здесь ситуация не простая — тебе самому нужно... Там у них в налоговой полиции какие-то кадры особые... Вот он как раз оттуда. Специально обученные и с огромными правами. Белая косточка, так сказать.

— Обычная «Обираловка». Так как кличут, говоришь?

— Этот необычный. Никита, а фамилия Орел.

Наступила пауза. Сидящие за столом изредка поднимали друг на друга глаза, но молчали — каждый думал о своем, а выходило, что думали об одном и том же, только по-своему. Визит майора, если это не случайность, не сулил ничего хорошего, тем более невооруженным глазом видно, что залетел этот орел — не оторваться и не залить горе зеленым вином. У него был здесь интерес, и это настораживало, если не пугало, только каждого опять по-своему и по разным причинам.

— Значит, элитник?.. Всемогущий супермен... — резко и зло прервал молчание хозяин. — Ну-ну...

— Я бы не рекомендовал, Слава... — искренне посоветовал Лазаренко.

— Ничего... Бог, он тоже всемогущ, но черти расторопнее... Свинья не съест, — подытожил разговор Бартеньев.

Он налил себе водки и, кивнув сидящему напротив, с удовольствием выпил, после чего, не спеша закусывая, стал украдкой наблюдать за возмутителем спокойствия.

Иван появился, как только певец закончил выступление и Никита, пригубив рюмку, принялся за остатки салата. Он положил руку на плечо гостя, доверительно склонился к нему:

— Добрый вечер. Не скучаете?

Орел резко сбросил руку с плеча и окинул подошедшего с ног до головы пристальным взглядом.

— Беда! — брезгливо поморщась, произнес он вместо приветствия. — Кругом педики, как слоны, бегают.

— Нет... нет! Я менеджер по обслуживанию. Вижу, сидите один, невеселый, напряженный. Думаю...

— То-то я смотрю, как ловко ты своих девок по залу распихивал. Грешным делом, подумал, что ты сутенер, а ты, оказывается, менеджер, да еще и по обслуживанию.

— Обслуживание-то тоже разным бывает, — усмехнулся парень. — Так, может, все-таки с красивой девушкой хотите посидеть?

— Только посидеть?

— Это уж как вам захочется. Можете потом увезти домой или в гостиницу, — ответил Иван и, с улыбкой подмигнув, кивнул головой в сторону бара. — Девочки у нас — высший класс! Алуся, к примеру...

— Я подумаю, можно?.. — как мог более робко произнес Никита и принялся за салат. — Я буду есть и думать.

— Хорошо, я еще подойду, — пообещал молодой человек и, посмотрев на доедающего салат гостя, не без ехидства сообщил: — У нас сегодня осетринка заливная — высший класс!

— Как и девочки. Я подумаю...

Однако долго думать не пришлось — две совершенно разные, но очень симпатичные девушки, остановившись перед столиком Никиты, тихо разговаривая, ждали, пока тут же появившийся официант не объяснит гостю необходимость уплотнения.

Орел был искренне не против. После перерыва предстояло выступление певички, так что времени до появления Ильи было предостаточно, а сидеть одинокой вороной в заполненном зале ни к чему.

«Однако быстро этот с косичкой их откопал. Ничего не скажешь, хорошо работает половой менеджер», — подумал Никита и, не слушая объяснений официанта, перебив его, согласился:

— Да не имею я ничего против, пусть присаживаются, если такие же веселые, как красивые, а мне повтори...

Девушки заказали шампанское с шоколадкой да еще попросили сигареты с зажигалкой и стали ждать, то и дело отказываясь от приглашений потанцевать.

Ждал заказа и Никита.

Соседки по столу, уверенные в своих чарах, изредка обмениваясь фразами, не спешили, предоставив полную свободу действий мужчине. Однако последний, посасывая сигареты, бесцеремонно разглядывал танцующих и проходящих по залу женщин и тоже не особо спешил познакомиться. Более того, он не только не обращал на них почти никакого внимания, но не имел ни малейшего представления об этикете, когда они пользовались его сигаретами и зажигалкой или когда упавшая под его ноги косметичка была с трудом поднята самой хозяйкой.

На этот раз официант провозился дольше обычного... Девушки, попросив не открывать шампанское, закурили принесенные сигареты, а Никита, пропустив рюмочку, аппетитно хрустел огурцами, что было отчетливо слышно за молчавшим столом.

Уже пора бы попросить открыть бутылку, подумал Орел, пропуская следующую рюмку, и посмотрел на часы.

— Который час? — наконец обратилась одна из них и получила настолько безразличный ответ, что не захотелось даже поблагодарить, не то что начинать разговор о погоде.

Бывают же такие истуканы, бабники-теоретики, подумала другая и понимающе посмотрела на подругу.

— Клиника... — позабывшись, вслух диагностировала подружка, но, заметив на себе взгляд Никиты, слегка смутившись, продолжила, приоткрыв в улыбке совершенные ряды белоснежных зубов: — Не могли бы вы поухаживать за нами — без вас нам шампанское не открыть. Помогите, пожалуйста...

— Ладно, девочки, пока отмокайте. Мне и так весело, — открыв бутылку, сказал Никита и направился к столику у эстрады.

За ним сидела красивая темноволосая девушка в вечернем платье, которая также весь вечер внимательно слушала выступление певца. По тому, как часто взгляд Ильи был обращен во время выступлений в ее сторону, нетрудно догадаться, что молодые люди испытывали симпатию друг к другу. В перерывах Илья появлялся около нее, но ненадолго, даже не присаживаясь. Сейчас же сел ужинать, она пила шампанское, и они негромко разговаривали.

Появление Никиты оба восприняли одинаково негативно, хотя во взгляде девушки было, пожалуй, меньше раздражения.

— Я не танцую, — чуть улыбнувшись, сообщила она.

— Знаете, я тоже. И не только не танцую, но и не пою. Может, примете в компанию нетанцующих?

— Извините, но это служебный столик и здесь вас не обслужат, — предупредил Илья, не скрывая неудовольства.

Никита, не обращая внимания на хмурившегося кавалера, выдвинул стул и уселся между молодыми людьми. Достал сигарету, закурил, после чего признался:

— Да вы ешьте и не волнуйтесь, молодой человек, мне ничего не нужно. Я уже поужинал. Хочу с вами познакомиться, и только. А вы, девушка, что по этому поводу скажете?

— Я промолчу.

— И то ладно. Один — «против», двое — «за». Остаюсь.

— Так я же промолчала, — уточнила девушка.

— Вот-вот. Молчание — знак согласия. Значит, два — «за», один — «против». Я остаюсь, — сообщил Никита и, выдержав еще один недовольный взгляд Ильи, спросил: — Может, вы, молодой человек, тоже будете за? За компанию?..

Илья перестал есть и, нервно теребя в руках салфетку, попробовал объяснить настырному посетителю, что они хотят побыть вдвоем и никакой дядя им в компании не нужен. Однако последний был непоколебим... Девушка с веселым удивлением слушала гневный монолог своего кавалера. Ситуация начала забавлять еще больше, когда почувствовала интерес не к своей особе, а к ее спутнику.

— А с кем вы хотите познакомиться, с Ильей или со мной? — поддразнивая Илью, обратилась она к Никите.

— Ну и вопросик... Не в бровь, а в глаз... Э-э, с Ильей, конечно, — под пристальным взглядом девушки признался Никита.

— Ну вот, здрасте! Илья, если хочешь, одолжу тебе помаду... Хоть бы соврали, что ли, из галантности... — изобразила она уязвленное самолюбие.

Никита поднялся со стула и протянул Илье руку со словами:

— Разрешите познакомиться, меня зовут Никита.

— Акелла промахнулся... — хмуро произнес в ответ Илья, не замечая протянутой руки. — Я — холодный натурал.

— Его звали Никита. Илья — это Никита. Никита — это Илья, — начала дурачиться девушка.

Никита положил протянутую руку на плечо молодого человека и с усилием опустил на стул, в упор посмотрев на него, как будто спрашивая, кто же он такой.

— Ну вот и познакомились. И поговорили, можно сказать, — произнес он несколько раздраженно, обращаясь скорее к себе, нежели к молодым людям.

— И до чего же ты грубый, Орел! — воскликнула девушка и обратилась к Никите: — Не обращайте внимания, успокойтесь...

— Да я спокоен, одну минуточку подождите, — сказал гость и, поднявшись из-за стола, вышел из зала.

А в это время сутенер Иван имел разговор с хозяином клуба и, судя по тому, как нервно перебирал свою косичку, переживал не лучшие минуты в своей жизни. Этот лох в черном костюме уже подмочил его репутацию знатока человеческих душ. Теперь та же участь, видимо, ждала его двух одних из самых неглупых и сногсшибательных девочек. Девицы уже который раз бросали в его сторону растерянные взгляды. Клиент на контакт не шел... Другой раз они просто посчитали этого «барсука» за импотента, и вся недолга. И не надо ломать голову. Но сегодня им были даны четкие инструкции. В конце концов, они же профессионалки...

— Ну что твои девицы на нас вылупились, — раздраженно отчитывал Бартеньев, кивая в сторону столика Никиты. — Упустили клиента, а теперь глазками моргают. Мужика снять не могут. Привыкли перед командировочными да перед озабоченными жопами вертеть, да ноги заголять по самое некуда. Конечно, там проще, а как посерьезнее работенка, так целочек из себя корчат, вместо того чтобы к мужику в карман руку запустить. Слушай, гони их отсюда, этих дурех, к чертовой матери...

— А может, он, Вячеслав Сергеевич, мальчиков предпочитает? Смотрите, как перед Илюхой крутится, а на его девку и внимания не обращает, — пытался оправдаться провинившийся. — Нутром чувствую — педик.

— Ты мне об этом лучше не говори. Если так, что, не мог вместо одной из своих шлюх голубого подсадить, чтоб не гадать теперь? Да ладно, я у Илюши потом все сам узнаю, а ты, Ваня, подвел меня сегодня, ступай пока, Организатор Удовольствий, — закончил хозяин и, подозвав к себе официанта, обслуживающего Никиту, спросил: — Ну, как дела сегодня, посетители довольны?

— Да, все в порядке, как всегда, Вячеслав Сергеевич, — заверил тот, заметно робея перед начальством.

— А что это у тебя гость то за твоим, то за служебным столиком сидит, а сейчас я его вообще в зале не вижу?

— Да в туалет, наверное, вышел, — с тревогой озираясь по залу, предположил официант и вдруг радостно воскликнул, увидя входящего в зал Никиту: — Так вот же он.

— Странный тип, не находишь?

— Есть немного. Да командировочные все такие важные, закажут пустячок и глазеют на баб. Или на эстраду. Вон и Ванька на его костюм купился. Двух своих телок к нему подсадил, да все это пустое... Теперь маются. А я его предупреждал, что у этого жеребца и около задницы понюхать денег не хватит. Смех, да и только... — начал смеяться официант, но, увидя, что хозяин его шутки не принял, замолчал.

— Значит, думаешь, любопытный командировочный, а может что вынюхивает?

— Да непохоже, если даже не командировочный, то не на работе. Те не будут так под нищего косить — кто с таким разговаривать-то у нас станет. Если позволите, я посмотрю повнимательнее?

— Посмотри... посмотри, физиономист хренов. Да позови ко мне кого-нибудь со входа, — попросил

Бартеньев и, посмотрев на беседовавшего Никиту, отправился за столик Лазаренко...

Илья молча, без всякого аппетита доедал горячее, устав доказывать свалившемуся им на голову нахалу, что его присутствие нежелательно. Конечно, можно «капнуть» своим клубным. Те в охотку кулаки почешут, но перед подругой неудобно. К тому же мужик диковатый. Вон и финик под глазом заштукатуренный.

— А вам понравилось, как Илья поет? Вероятно, не ожидали здесь услышать такой голос? — задала вопрос, не скрывая раздражения по поводу возвращения Никиты, спутница певца.

— Понравилось!

— А как здесь оказались? Пенсию, поди, пропиваете?

— Точно, а как ты догадалась? Сама-то здесь небось на велосипед копишь?

— На мотоцикл... А вы?..

— Дина, кончай придуриваться!.. — раздраженно прервал девушку Илья. — А вы что, не понимаете, что мы хотим побыть одни? Вы знаете такое слово «деликатность»? Де-ли-кат-ность... Длинновато, может быть, но запомнить можно...

Дальше Никита не слушал. И пока парень не выговорился, думал о том, что не так нужно было начинать знакомство, а как и что делать теперь, не знал. Сейчас он видел перед собой расстроенного человека, перед которым он виноват. Одно знал точно: Илья мог встать и уйти, а этого допустить было никак нельзя.

— Мне нужно поговорить с тобой кое о чем, Илья, — как можно спокойнее и дружелюбнее сообщил он, когда парень замолчал.

— А сколько вам лет? — спросила Дина. — Или любви все возрасты покорны?

— Девочка, мне нет еще и семидесяти, но ты не в моем вкусе, а с Ильей мне необходимо пообщаться, — попытался нейтрализовать Никита юную заступницу.

— А я не хочу с вами разговаривать! Неужели не понятно... — начал было Илья высказывать свое отношение к незваному гостю.

— Меня попросила об этом твоя мать, — прервал его Орел.

— Ах, вот оно что. Значит, ты очередной ее хахаль и соответственно мой новый наставник. Ну и что ей от меня надо на этот раз? — спросил парень, не скрывая раздражения. — Она попросила повоспитывать меня? У тебя свои дети есть? Вот их и воспитывай, а если нет, то не суйся в вопросы, в которых ничего не соображаешь. Да кто ты такой вообще-то?...

— Черт возьми! — решился Орел-старший. — Я... Я, видишь ли... Смотри, Илья, на меня смотри!.. Я твой отец!

— Что-о?! — почти хором воскликнули молодые люди.

— Отец я твой, понимаешь... Отец! Подожди, я сейчас.

Никита быстро вернулся в своему столику. Девушек уже не было, а на столике одиноко стояли неначатый графинчик и салат. Он взял графин с рюмкой и вернулся к примолкшей молодежи. Выпив подряд две рюмки, Орел немного снял напряжение и чувство неловкости, а затем, сделав несколько затяжек, прервал молчание:

— На днях позвонила твоя мать, ну и попросила найти тебя и поговорить. Да не смотри на меня так, я и сам себя по-идиотски чувствую. Знаешь, твоя мамочка всегда умела поставить меня в дурацкое положение. Хотя я и сам тоже хорош... Ну что ты молчишь?

— Ни хрена себе!.. Что молчишь?.. Петь через полчаса, вот и молчу, потому что говорить нечего... То-то я думаю, чего это у меня с утра глаз чешется. А это, оказывается, меня папа ищет. Мама попросила, и папа ищет. До этого не просила — и не искал. Обалдеть раскладик, может, поцелуемся? Папа... — закончил Илья и пристально, словно в первый раз, посмотрел на Никиту.

Тому стало не по себе от этого взгляда, в котором смешалось, казалось бы, несовместимое: презрение и интерес, боль и прощение, горе и радость. Он не без трепета положил руку на плечо парня и, стараясь не отводить взгляда, выдавил из себя:

— Да не смотри ты на меня, как на врага, не хотел я тебя бросать... Хочешь верь, хочешь нет, но не хотел. Твоя мать так решила, когда уходила от меня к своему... ну, в общем, не маленький, сам знаешь... потребовала, чтобы я даже не пытался видеться с тобой, потому что у ребенка, как она заявила, должна быть нормальная семья и нормальный отец. А для них, то есть и для матери, и для бабушки твоей, я казался ненормальным. Откуда мне было знать, что твоя мама уже через полгода после твоего рождения так к мужикам подобреет. Был бы ты постарше и соображал, кто тебя в коляске катает, видит Бог, послал бы его куда подальше вместе с теориями о нормальной семье. А я тогда думал, что, может, действительно лучше, если ты про меня и знать-то не будешь. Все-таки хорошо, когда у тебя одна мать и один отец, без всяких там воскресных пап...

— Да? А когда у тебя ни того ни другого, тогда как? — спросил с усмешкой Илья и недоверчиво добавил: — А она мне по-другому рассказывала.

— Я сказал, как было, а уж тебе решать, кому верить. Тем более мать ты свою знаешь не хуже меня. Ты пойми, я не собираюсь обсуждать ее. В конце концов она тебя вырастила... Но объективной быть она не умеет. И я не собираюсь обо всем молчать, тем более когда встретил тебя, — решительно высказался Никита и налил себе еще.

— А можно мне тоже?

— Угу.

Дина, словно окаменевшая, молча во все глаза смотрела на сидящих напротив мужчин, стараясь не пропустить ни одного слова. И только сейчас, когда они выпили налитое одним глотком, подвинула к ним начатую плитку шоколада и вновь замерла.

— Ну и что же ты от меня хочешь? На что надеешься? — вытирая губы ладонью, спросил Илья. — Денег я тебе не дам и не проси. Нет у меня для тебя денег и не будет.

— А при чем тут деньги? Я тебе помочь хочу. Лучше поздно, чем никогда. Согласен?

— Разумеется, согласен. Только чем же ты мне помочь-то можешь? Я думаю, что не меньше тебя зарабатываю. Учить меня уже поздно. Или просто проснулись запоздалые чувства и повоспитывать меня захотелось? По-отцовски... Так, да? А ты знаешь, что детей нужно воспитывать в раннем возрасте, чтобы толк был. Раньше надо было, понимаешь — раньше. А ты сейчас только созрел. Может, в угол поставишь или выпорешь?.. — закончил вопросом Илья и, не дожидаясь ответа, попросил подошедшего к Никите официанта принести водки.

Официант напомнил о распоряжении хозяина заведения относительно спиртного для сотрудников.

Наступившая пауза длилась, пока не появился еще один графин и не было выпито еще по рюмке.

— Выпороть-то, конечно, можно, и есть за что, — продолжил разговор Никита. — А воспитывать? Воспитывать поздно, в этом я с тобой согласен. Вижу, тебя и без меня уже воспитали...

— Воспитали, папочка, воспитали. Вижу, не нравится?

— Нет. Сам понимаешь, нравиться здесь нечему...

— Тогда выпей, не стесняйся, — налил еще Илья.

— И выпью, — согласился старший Орел и проглотил водку, как воду. — Спасибо, сынок.

— Любит папочка дернуть рюмочку. Видишь, какой у тебя свекор будет — пьющий, зато с нерастраченными педагогическими способностями. А ты еще одну махни. Будь как дома. Здесь же твой сынок работает.

— О чем речь, конечно, выпью, — согласился Никита и выпил не закусывая. — Спасибо, сынок, уважил...

— Не за что, гуляй, папаша... Только не надо очень много пить, а то ты, видать, буйный. Еще, чего доброго, и под второй глаз фингал поставят, хотя тебе, наверное, не впервой по роже-то получать. Послушай, а может, ты в следующий раз с корешами придешь, на халявку-то? Потом здесь и помашетесь...

Отец, каким бы он им ни казался, остается отцом. У Дины была своя история, но, в отличие от Ильи, она отца помнила. Он ушел, когда девочке было девять, а это возраст, в котором дети уже довольно хорошо разбираются во взаимоотношениях между людьми, родителями тем более. Говорят, девочка — папина дочка. Насколько это справедливо, можно поспорить, но она была именно папиной. Именно потому ей не нравилось то, как происходит знакомство сына с отцом.

— Илья, хватит! Если ты не прекратишь, я уйду.

— Да ты хоть помолчи! Чего он приперся, воспитатель хренов! — сорвался на Дину Илья, а затем продолжил, обращаясь уже к Никите: — Послушай, а может, ты самозванец? Сидит, наливается. Чего тебе от меня нужно? Может, еще девочку на халяву пригласить? Может, зов плоти у тебя? Если бы молодость дала, то старость смогла бы. А? Вдруг еще одного ребеночка уродишь, или уже слабо?..

Дальше слушать не хватило сил. Никита, уже не владея собой от обиды, схватил Илью за руку и начал медленно сжимать. Илья тщетно пытался освободиться.

— Пусти, — сквозь зубы выдавил сын.

— Засранец, — вырвалось у Никиты, продолжавшего сжимать руку.

Он пришел в себя и отпустил только тогда, когда почувствовал на своей руке руку Дины.

— Не надо, прошу вас. Ему больно. Он же на гитаре играет...

— Я не хотел, чтобы кому-то было больно, — отпустив руку, сказал Никита и резко добавил: — Сегодня же отзвони матери и успокой ее. А дружкам скажи, чтобы прекратили телефонные угрозы. И наведи порядок в этой своей дурацкой жизни! Я тебя еще найду.

Он встал из-за стола и направился к выходу не попрощавшись, но, вспомнив, что не расплатился, вернулся и, вылив из двух графинчиков остатки водки в фужер, залпом осушил его.

Расплатившись, Никита, ни разу не глянув на сына, кивнул его подруге и быстро покинул зал, провожаемый дюжиной заинтересованных глаз.

— А знаешь, он мне понравился, твой отец. По-моему, настоящий мужик.

— Не знаю... Теперь не знаю, — поправился он.

С площадки его позвали.

Илья взял гитару и вдруг начал петь в несвойственной ему манере и стиле:

### ПЕСНЯ ИЛЬИ

Глубже в землю
кротом заройся.
Я не верю
в свое геройство,
Я не верю
в свои порывы.
Будем мы
иль не будем живы.

Спрячь и мысли
в сундук мечтаний,
Чтоб не грызли
тебя страданья,
Не манили б
тебя стремленья.
Позабудь
о своем поколенье.

Стань рабом,
примирись с судьбою.
Тяжким сном
распростись с собою.
Тяжким сном
очерни Идею
И забудь то,
во что ты верил...

## ГЛАВА 9

Утро. Сегодняшний рабочий день начался без начальника. Но работа есть работа, и ее надо выполнять. За нее спросят. Что с начальством, что без него. Просто стаду без пастуха всегда как-то повольготнее. Однако это хорошо только до той поры, пока волк, в виде вышестоящего начальства, не объявился.

В общем, есть плюсы, но и минусов немало. Хорошо, но боязно, а в это утро было еще и тревожно.

Начальник опаздывал, намного опаздывал, не предупредив никого. Такого за майором не помнили, а звонить домой или Наталье, спрашивать у Деда не решались... В первом случае было уже поздно, во втором рано, в третьем означало заложить.

Словом, отдохнувшие за ночь сотрудники усердно штудировали многочисленные документы, изредка бросая косые взгляды на рабочее место начальника и переглядываясь друг с другом. В течение всего первого часа работы эта тема не обсуждалась, но Русанов не выдержал.

— Что-то начальник наш бастует сегодня, — первым произнес он вслух то, что не решались сказать остальные.

Платонов посмотрел на часы:

— К чему бы это?

— К дождю, видать, — пошутил кто-то.

— Остряки, — не удержалась Ольга, не отрываясь от компьютера, и замолчала, боясь выдать свое беспокойство и раздражение.

Платонов подошел к столу майора и, ни к чему не прикасаясь, тщательно осмотрел все лежащее на поверхности, надеясь увидеть какую-нибудь записку.

— Может, тебе, Шерлок Холмс, лупу дать? — спросил Русанов, наблюдая за склонившимся над столом капитаном. — Только зря стараешься, все равно ничего не найдешь. Я вчера после майора оставался, он бы сказал, если что... Может, заболел?

— Кто? Орел?

— Вряд ли, уже позвонил бы сто раз, — возразил Платонов, возвращаясь на место. — Предлагаю подождать еще часик и позвонить домой... Если нет возражений, на том и порешим. За работу, господа-товарищи...

Однако звонить не пришлось. Минут через сорок открылась входная дверь, и на пороге показался начальник «во всей красе». Небритое, помятое лицо, заплывшие глаза, резкий запах говорили о том, что оттянулся он вчера на полную катушку...

Неопределенный жест рукой, топтание у вешалки подтверждали сильное похмелье. И только когда сел за стол, сотрудники услышали майора.

— Общий привет, — медленно произнес он хриплым голосом. — Что такие грустные? Работать не привыкли?.. А меня Дед случайно не спрашивал?

Молчание стало ему ответом. Со всеми бывает, думали сейчас подчиненные.

Никита обхватил голову руками, периодически громко вздыхая... Мужики с пониманием переглядывались и молчали. Одна Ольга не разделяла их сочувствия, скорее наоборот... Она работала, не обращая на него никакого внимания, хотя готова была отхлестать по щекам мученика, с которым, слава богу, ничего не случилось серьезного... Молчание, как всегда, нарушил Русанов.

— Привет, Никита. Дед не искал. А я тут нарыл кое-что, как мне кажется, интересное. Мы вчера вечером тут одну папочку не досмотрели, так я ее добил после твоего ухода. Интересные дела у родителей моей дочерней компании получаются. Посмотришь?

— Угу, сейчас все брошу и посмотрю... — не поднимая головы, промычал Никита и вновь замолчал.

По такому случаю время предобеденного чая сдвинули почти на час раньше. Мастерски заваренный Калинкиным чай сделал свое дело, хотя общеизвестно, что клин клином вышибают, начальник разлепил глаза и сел перед экраном включенного компьютера. Однако вникнуть в смысл выдаваемого машиной изображения еще не мог.

Русанов, вновь решившись нарушить покой майора, подошел, держа в руках открытую папку. Уж очень интересное удалось отрыть и не терпелось поделиться...

— Вид у тебя какой-то нехороший, — начал он, постояв несколько минут рядом с начальником.

— Голова болит. Много выпил вчера, — признался Орел, повернув голову в сторону старшего лейтенанта.

— Да? — ненатурально-удивленно произнес Дмитрий и помахал перед носом папкой. — Ты так здорово это скрываешь. Смотришься, как простуженный... Где же так здорово угощают?

— Угощают... В клубе одном был, там угостят... Скорее последние штаны спустят. Раньше я на эти деньги несколько раз в такое заведение сходить мог и хорошо поужинать, да еще не один, а сейчас едва хватило на спиртное да три салата, — поведал начальник.

— Сколько же ты, майор, выпил... — схватившись за голову и закатив глаза, ужаснулся Платонов. — В твоем-то возрасте...

— Да, не бережет себя наш шеф, — с сожалением

констатировал Калинкин. — Столько-то, наверное, и слону не под силу...

— Слоны не пьют, — сказала Ольга, не отрываясь от компьютера.

Никите было не до шуток. Здоровье поправить можно у девочек из лаборатории. Гораздо сильнее давило воспоминание о вчерашнем разговоре с сыном. Сам наломал в свое время дров, а теперь хочет, чтобы чадо идеальным выросло.

«Не взрастивши малого, не видать и старого», — уже не раз вспоминал он народную мудрость. Здесь в нормальных-то семьях идиоты вырастают. Можно представить, что мамочка Илье о нем понарассказывала. А он еще, дурак, захотел, чтобы сын на шею бросился. Не успел познакомиться, начал руки ломать. Психопат какой-то, а не родитель. Нашел на ком силу показывать, да еще в присутствии барышни. Хорош папаша...

— Перестаньте цирк устраивать, — вспылил Орел. — Пришли на работу, так работайте. Черт бы вас всех побрал!

— Ты гневаешься — значит, не прав, — напомнил Русанов, оторвавшись от компьютера, но пожалел о сказанном — уж больно жаль было начальника.

— Ну пришлось, понимаете, пришлось напиться!

— Да мы и не против, на здоровье, — ответил за всех Платонов. — Ругаться-то зачем?

— Извините, — резко произнес Никита и, встав из-за стола, вышел в коридор.

— Истерикус обыкновенус, — посмотрев ему

вслед, произнесла Ольга. — Пусть покурит, быстрей успокоится.

Однако она еще не договорила, открылась дверь, и Орел вновь появился. Подойдя к столу, он сложил бумаги, выключил компьютер и, сняв с вешалки куртку, подошел к Платонову.

— Слышь, одолжи сотню баксов, — попросил он, отведя в сторону глаза, и, когда тот, удивленно посмотрев на него, достал из бумажника деньги, пообещал: — Верну в зарплату.

— Только без скидок на налоги и новой бумажкой.

— Ну ты такой добрый, прямо Ганди какой-то.

— Да я всегда такой, когда дело касается промотавшихся и больных.

— И это правильно, товарищи, главное — делать это систематически, — ответил Никита и направился к двери, но, проходя мимо Ольги, остановился.

— Да не напрягайся ты так! Глаза испортишь! А очки на твоем носике держаться не будут, — прошептал он ей на ушко и скрылся за дверью.

— Хам! — только и успела ответить она.

Впрочем, на месте усидеть не смогла, сняла с вешалки куртку и направилась к выходу из отдела.

— Ты далеко? — спросил Русанов, глядя на ее торопливые движения.

— Если не хочешь вранья, не задавай вопросов.

Старший лейтенант молча покачал головой, глядя на дверь кабинета, за которой только что скрылась Калинина, сделал несколько глотков кофе.

— Неладно что-то в нашем королевстве...

— Да уж, — согласился Платонов. — А ведь скоро обед. Давайте, мужики, еще полчасика полопатим и к корыту.

Работать начали сосредоточенно, не отвлекаясь на разговоры, и главное — вовремя...

Дуров появился неожиданно и с удовольствием отметил трудовую атмосферу в кабинете, когда присутствующие, как по команде, оторвали головы от бумаг. Уж кто-кто, а полковник мгновенно мог отличить работу от безделья, что неоднократно уже доказывал своим подчиненным.

Калинкин поспешно включил вентилятор, да на такую мощь, что со стола Платонова разлетелись листки. Дух после ухода майора еще витал в отделе.

— Что это вы тут ветер гоняете? — недоуменно спросил Дед и добавил: — Где Орел?

Врать руководству было бессмысленно, и сотрудники лишь пожали плечами... Отвечать никто не собирался. Стукачей здесь не держали. Особенно не любили замаскированных. Простые что? Их и так видно. А вот попадется веселый человек в коридоре и завопит во всю мощь легких что-то вроде: ну ты и дал вчера, ну и нагрузился, как поросенок! И все это у приоткрытой двери начальника. Ничего не скажешь — сдал глазом не моргнув, а по форме вроде и нет.

А Орел между тем прогревал свою «Ниву», вслушиваясь в работу мотора. Стук одного из клапанов недвусмысленно напоминал, что за машиной нужно следить, если хочешь ездить, а не ходить пешком.

Опять попадание. В прошлый раз мастера обещали, что месячишко побегает его старушка. Месяц почти и пробегала. Нет, эта совковая теория, что стук должен наружу выходить, сильно расшатывала нервную систему, а в результате-то древняя мудрость брала свое — скупой всегда платил дважды. Можно, конечно, к ребятам в гаражи податься, там что-нибудь подберут из старья, но это еще месяц-два, и возвращение к тем же проблемам, да еще нужно будет пережить такое же утро, как сегодня. Все-таки нужно собраться и поставить новый, а еще лучше купить новую машину. Но финансы... Упустил времечко майор, когда надо было менять эту на новую, а теперь кому она нужна? Это в молодые годы можно было купить, а через пять лет продать за ту же цену, а сейчас металлолом не в цене. Видимо, придется ездить, пока задница не чиркнет по асфальту, закончил невеселые размышления Никита и нажал на газ.

Он не знал, что своим состоянием и философским настроением здорово облегчил Калининой поставленную ею самой себе задачу: повисеть на хвосте у майора.

Пока он размышлял, она уже сидела в своей машине и не слушала, подобно ему, звук мотора, а готовилась тронуться вслед за его машиной, что и сделала, как только «Нива» покинула стоянку...

Ольга водила машину хорошо. И в ответ на утверждения водителей сильного пола, что женщина за рулем — преступник, могла бы с полным правом снисходительно улыбнуться большинству из них.

Сначала, когда петляли по узким улочкам, ей было тяжело не засветиться, но сейчас, на Тверской, уже не составляло труда держаться за две-три машины от «Нивы» начальника, тем более он не спешил и ехал в среднем ряду. Однако вскоре свернули на Бульварное кольцо, и ей опять стало, что называется, не до шуток. На некоторое время она потеряла его из виду, после того как «бычок», груженный стеклопакетами, нагло подрезав ее машину, оказался впереди. Этот полугрузовик не пропускал вперед, несмотря на то, что она без устали давила на клаксон.

— Куда же тебя черти тащат? — пыталась угадать Ольга маршрут движения, когда вновь сумела пристроиться за автомобилем шефа. — Машину бы помыл, что ли, хотя какая там машина, если на работу небритым приходит...

Не успела она об этом подумать, как «Нива», прижавшись к тротуару, остановилась по воле автоинспектора, и ей пришлось сделать то же самое, только чуть впереди, что грозило разоблачением.

Однако пронесло, Никита знакомую машину не заметил.

Автомобили выехали на набережную, и опять стало полегче...

Если все в отделе замечали, что у начальника в последние дни что-то не так, то женская интуиция подсказывала Ольге, что это может для него плохо кончиться. Она была уверена в том, что Орел если и понимает это, то, как все мужчины, отнесется к помощи друзей легкомысленно. И нужно было во что бы то ни стало если не защитить, то хотя бы заставить его поверить в опасность. Но для этого необходимо не только чувствовать, а точно знать, в чем дело...

За этим она и ехала, ехала уже долго, не привлекая внимания майора, пока на одном из светофоров ее опять не подрезали, и машина остановилась не сзади, а в соседнем ряду...

Дверь «Нивы» приоткрылась, и Никита с ухмылкой покачал головой, как бы говоря: «Докатилась, следить за мной вздумала...»

Зеленый свет дал старт гонке с преследованием. Машины неслись уже по крайней левой полосе, но здесь преимущество было на стороне преследователя. Никите мешали развить скорость впереди идущие машины, а «рено» впереди Ольги без усилий не отставала от «Нивы».

Все испортил светофор, красный сигнал которого образовал брешь во встречном потоке, куда и нырнула, резко развернувшись, преследуемая «Нива». Калинина попыталась, мигнув поворотником, сбросить скорость и повторить маневр шефа, но пронзительный сигнал огромного джипа «Чероки», который чуть не поддел зад ее машины своим «кенгурятником», заставил вновь увеличить скорость. Оставалось только давить на газ и смотреть в боковое зеркало, как удаляется машина Никиты, или в зеркале заднего вида любоваться перекошенной от злости толстой физиономией нового русского.

Свернув на Комсомольский проспект, Ольга возвращалась на работу, обдумывая создавшуюся ситуацию. Выходило, что одной ей не справиться, надо было поднимать массы... А массы — это ребята из отдела, которых так же, как и Никиту, можно было заставить поверить во что-то, только имея на руках веские доказательства опасности. Никакие бабьи предчувствия ни для кого из них не послужат поводом даже пошевелить пальцем. Мужчины есть мужчины. Понять ее могла бы только женщина, да где ее взять, не подругам же обо всем рассказывать. Новая мысль заставила ее развернуться, и, набирая скорость, машина понеслась в сторону Ленинского проспекта...

Мать Никиты сидела перед телевизором.

«Старый телевизор». Анне Сергеевне нравился этот цикл, и она старалась не пропускать встреч Льва Новоженова с известными людьми своего времени. За плечами уже была почти прожитая жизнь, жизнь не всегда простая, особенно в последние годы. Прошедшая перестройка была сделана не для таких людей, как она, а других она не знала.

Пожинать плоды пришлось, никуда не денешься. Главного завоевания произошедших перемен — свободы, в том виде, в котором она видела ее на улице и по телевизору, о которой читала в газетах, — Анна Сергеевна не понимала и не желала понимать. Она считала, что ей было достаточно свободы и в эпоху Брежнева, а в остальном все стало хуже, чем было. Словом, радовали ее только сын да воспоминания. А какие воспоминания слаще воспоминаний молодости?

Вот и садилась она каждый раз днем перед телевизором и вспоминала те годы...

Звонок прозвучал в самом конце передачи и не огорчил, а скорее обрадовал хозяйку. К ним не часто звонили в дверь. Сына почти никогда не было дома, а к ней редко кто заходил. Она не была в претензии. У него своя жизнь. Анна Сергеевна не относилась к тем матерям, которые считают, что дитятко всегда должно быть при матери, и, когда он женился и ушел строить свою жизнь, была «за». Взрослый сын в семье, как квартирант. И когда он ушел к чужой дочери, она пожелала им счастья. Счастья не получилось. Руби сук по себе, всегда говорила ему. Не верил. Но вели они себя по-графски. Но все это в прошлом. Она в свое время пыталась бороться за внука, но уж если сам отец отказался от борьбы, что оставалось ей... Так и проглотила обиду. Год назад, слава богу, сошелся с приличной женщиной. Врач. Умница. Своя жилплощадь. Чего еще надо? Нет. Никита сказал, что не хочет повторения пройденного, поживут так, гражданским браком. Боится сын, не выдержит красивая женщина его ритма жизни и работы. Может, и так, но в их время так не делали...

Увидя в глазок Ольгу, Анна Сергеевна, посмотревшись в зеркало и поправив прическу, с искренней улыбкой открыла дверь.

— Здравствуйте, Анна Сергеевна! — поздоровалась Ольга, переступив порог, и протянула небольшой тортик. — Принимайте гостью. Ехала мимо, дай, думаю, загляну. С Никитиного дня рождения не была, скоро год.

— Оленька! Здравствуй, дорогая! Как я рада, проходи, проходи, — обрадовалась хозяйка, обнимая гостью. — Мы сейчас с тобой кофейку сварим, а ты обедала?

— Да не беспокойтесь вы, я сыта.

— Что значит «сыта», раз не обедала, быстро раздевайся, — как можно строже сказала она, продолжая радостно улыбаться.

Кухня, куда было пошла Ольга, небольшая, но уютная.

— Нет-нет, не сюда, в комнату. Я, знаешь, этих порядков никогда не понимала. Кухня — для приготовления пищи. Здесь царство повара, стряпухи... Едят за столом. И Никите всегда говорила: есть надо не там, где готовят, а где сидеть приятно, не в куче на тычке. Это ведь оттого, что мы мечтали много раньше. Столовые и кафе для народа — общепит. Все пойдут туда семьями, а кухни так, для разогрева готового, если некогда.

Потом хозяйка расспрашивала гостью о ее житье-бытье, та, пространно отвечая на бесконечные вопросы, пообедала, и теперь они сидели и ждали, когда сварится кофе.

— Анна Сергеевна, давайте я посуду вымою, — предложила Ольга, но хозяйка была категорически против.

«Вот какая жена нужна сыну», — думала она.

— И думать об этом не смей. Сиди, сиди, мне приятно за тобой ухаживать. А то целыми днями одна, да одна. Никиту, считай, только изредка вижу. Вы все не появляетесь. Я понимаю, мой сын вам и на работе надоедает, но меня-то могли бы навещать иногда. Так и передай своим кавалерам, что я на вас обижена, — отчитывала она гостью.

«Значит, у Никиты с той женщиной серьезно», —

подумала Ольга. Конечно, у них носились слухи про майорскую пассию, но она никогда не придавала им такого значения. Мужик он видный. Женщинам такие нравятся. Однако вот же не спешит с браком... Значит, что-то его не устраивает. Выходило так, что можно еще было надеяться.

— Но я же приехала? — смеясь, защищалась гостья.

— Приехала... Сама же говоришь, что почти год прошел, как не была здесь. Считай, что на тебя тоже обижена.

— Ольга Сергеевна, а Никита вам случайно не рассказывал, с кем это он подрался? — как бы между прочим спросила Ольга.

— Скажет он, как же. Только думаю, это все из-за жены его бывшей. С самого начала, как у них все началось, ничего хорошего не было. И когда встречались, и потом. Они ведь у нас жили почти год, пока в декрет та не ушла. Молодые, красивые, им бы жить да жить, так нет. Правда, посуду не били и сцен не устраивали, а так каждый день дулись друг на друга. То он на кухне, а она в комнате, то наоборот. Я уж им и комнату большую отдала, и по дому одна возилась. Ты не подумай, что невестка лентяйкой была, нет, работящая. Это я так сама решила, думала: пусть вместе подольше будут, только все впустую. Чуть что, она в слезы и вот так сядет, — Анна Сергеевна изобразила, как сидела Мария, — и молчит. Мой походит, походит вокруг своей принцессы, потом плюнет, уйдет и тоже молчит. Ждала, ребенок родится, все по-другому будет, куда там. К сватье ушли. (Анна

Сергеевна махнула рукой, как о безнадежном.) Никита то и дело у меня жил, там квартирка-то меньше нашей, а через год и насовсем вернулся. Внука и того не дали посмотреть, понянчить...Словом, как она рядом, так у сына одни неприятности. Вот и сейчас, стоило позвонить, так все и началось... Избили... вчера пьяный. Я уж и не помню, приходил ли он когда в таком виде домой. А как подумаю, что на машине так ездил, то за сердце хватаюсь. Долго ли, не дай бог, разбиться-то или задавить кого-нибудь. Пыталась поговорить с ним, да где там. Не лезь, мать, сам разберусь.

— Так вы, Анна Сергеевна, думаете, что все это связано с его бывшей женой?

— Да вроде бы так. У нее какие-то неприятности с Ильей, сыном ихним, начались, вот она и вспомнила, что у того есть отец. Восемнадцать лет не допускала, другие воспитывали, а сейчас, может, нет никого, а может, не берутся уже. Дело-то, поди, деликатное, парню восемнадцать лет как-никак... Словом, попросила, чтобы Никита ей позвонил. Вот он, думаю, ей и позвонил.

Анна Сергеевна встала, чтобы заварить еще кофе, а потом с кофейником в руках подошла к окну и задумалась, глядя на мчащиеся внизу машины.

Ольга тоже молчала, думая о своем. Прошло минут пять, прежде чем хозяйка начала разливать кофе, а потом, снова сев напротив гостьи, подытожила сказанное:

— Вот так, Оленька, такие дела. Малые детки не

дают спать, большие не дают дышать... А как он на работе-то?

— Да что на работе, на работе так же, как дома, — тоже после звонка черт знает что началось. Его бывшую Марией зовут? — уточнила Ольга и, увидев утвердительный кивок головой, продолжила: — Вам, Анна Сергеевна, честно скажу. Я очень боюсь, что ваш внук попал в какую-то неприятную историю. Никита, не желая, видимо, как говорится, выносить сор из избы, сам взялся раскручивать это дело, не обращаясь за помощью... Мы все с радостью помогли бы ему, но он только отмалчивается, если об этом спрашивают. Я Никиту понимаю — все-таки Илья — его сын, и он хочет лично разобраться, спустив потом все на тормозах... Обидно, конечно, что он нам не доверяет, хотя прекрасно знает наше к нему отношение.

— А ты и не спрашивай. Можешь — так помоги. Знаешь же, какой он, — никогда не попросит помощи, — предложила хозяйка и, немного помолчав, добавила: — С детства таким был, такой и остался...

— Анна Сергеевна, вы мне... номер телефона Маши не дадите? — нерешительно спросила Ольга, и тут же начала объяснять для чего: — Я бы хотела только позвонить ей... Мне же прежде всего надо узнать, в чем там дело... Что там с вашим внуком произошло? Понимаете?

— Да понимаю я все, понимаю. Не волнуйся. И телефон, конечно, дам. Пойдем в комнату, он у меня там записан, — предложила хозяйка, и они прошли в комнату Никиты.

Рядом с телефоном нужной книжки не оказалось, на полке над ним тоже.

— Ну все, надо искать, — обреченно вздохнула хозяйка. — Мышка, мышка, поиграй и отдай... Кто из нас ее куда засунул, не имею понятия. Она такая синенькая и здорово потрепанная. Ее сразу узнаешь, если увидишь. Ты посмотри над книгами в стенке, а я пороюсь у него на столе.

Ольга с большим интересом осмотрела комнату. Она сразу поняла, что в ней живет Никита. По тому, какими вещами себя окружает человек, всегда можно понять частицу его души. Конечно, здесь многое изменилось, но ведь часть осталась. Часть того мира, которым жил хозяин. Время уничтожает многое, но даже оно не в силах стереть всего... Здесь когда-то висела фотография или портрет. Видно по обоям. Книги. Это его книги. Она посмотрела на авторов. Кроме учебников по криминалистике, судебной психиатрии, анализу — Хемингуэй, Кафка, Кабо Абэ, Тютчев... Некоторых авторов она вообще не знала. «Мастер и Маргарита», «Двенадцать стульев» — это понятно. Но «Теория относительности» и «Библейские истории» никак не укладывались в ее представление о майоре. И «Теория стихосложения» тоже не укладывалась.

Калинина, добросовестно выполнив поручение, нужной книжки не обнаружила.

— А здесь что было? — спросила она, кивая на стену.

— Здесь... Акварелька. Отец его баловался. Мы все при переезде потеряли, а одна чудом сохранилась. Папа Никиты давно умер. Он и повесил у себя как память, потом забрал. К ней...

Ольга напряглась. Это уже серьезно. Значит, унес туда самое дорогое. Ничего больше не взял. Акварельку отца взял.

— Ну балбес, если в своем секретном ящике спрятал, я ему задам... — немного играя перед Ольгой, пообещала Анна Сергеевна, открывая средний ящик.

Он был доверху набит всякими бумагами, из-под которых с одной стороны виднелся ствол пистолета. С другой, под компьютерной дискеткой, и была обнаружена нужная книжка с телефонами.

Пошутила:

— Открывать ящик не разрешает, видно, боится, что ворон стрелять пойду, а телефоны в нем оставляет. Как чувствовала, что именно здесь книжечку найдем. Так, на букву «М» ищем... Вот он.

— А можно я еще дискетку, которая в его ящике лежит, перепишу? — спросила Калинина, записывая номер телефона. — Раз Никита ее отдельно держит, значит, в ней что-то, с чем он сейчас работает.

— Бери, конечно, и, что нужно, переписывай. Только ему не проговорись...

— Спасибо вам, Анна Сергеевна. Я постараюсь во всем разобраться и помогу, чем смогу. Да и ребята в стороне не останутся, — пообещала Ольга, закончив переписывать дискетку. — А теперь мне нужно бежать, извините. Только и вы не говорите Никите ничего...

— Могила, — пошутила хозяйка.

Ольга спускалась во двор дома, и ей было о чем

подумать. И прежде всего о той женщине. Нет, не о Марии.

Надо бы как-то у ребят все разузнать. У Русанова? У Потапова? У Привалова?..

## ГЛАВА 10

К полудню уже вторая бутылка подходила к концу, а коньяк не приносил облегчения. Голова начальника охраны в последние дни раскалывалась от беспрерывного обдумывания всевозможных вариантов пропажи денег, анализа ситуации, сопоставления фактов и прочих размышлений по этому поводу. Однако воз был и ныне там, а просвета в этом деле не предвиделось. Все конкретные действия, проведенные его ребятами, также не дали никаких результатов.

Отношения с шефом заметно изменились, и естественно, в худшую сторону, а в будущем грозили перерасти во враждебные, если не сказать больше.

Сиривля выпил еще рюмку и вновь задумался.

«Дипломат» с деньгами держали шеф, он сам и четверо ребят, которые были в бане. Если у пачек с баксами не выросли крылья, то они у кого-то из этих людей. Шефа подозревать глупо, да и он все время был с ним, лично его карманы пусты, оставались эти четверо... Но они друг друга до встречи не знали. А если знали?.. Да нет... Их никто не видел вместе, это уже выяснили.

И все же... Это была последняя надежда...

Остался час, и к их приходу все было готово. Лишних людей в этой части здания не было, а весь штат охранников вызван на работу и проинструктирован, что надо делать, если потребуется... Надо только ждать и думать, что он и делал. Однако думать о случившемся не получалось. Мысли перескакивали с одного на другое. Как он оказался в таком положении на полувековом рубеже своей жизни и что делать дальше? Порывшись в карманах, достал ключи и открыл сейф. «Макаров». Подержал его на ладони. Приятная тяжесть несколько успокоила его, но ненадолго. Положив его в верхний ящик, закрыл сейф, подбросил вверх ключи и, поймав их раскрытой ладонью, засмотрелся на тысячу раз виденный брелок.

Этот брелок был ему подарен на тридцатилетие генералом МВД, когда он работал в этой организации консультантом по рукопашному бою. Умельцы в одной из сибирских колоний сделали его из какого-то тяжелого сплава в виде колечка, на котором висели пара боксерских перчаток и шарик, внутри которого болтался еще один, и так далее. Он и по сей день недоумевал, как можно было в шарике не больше старых двух копеек в диаметре уместить еще четыре. В перчатках же тоже катались по шарику. Тогда ему много чего подарили, но этот подарок стал самым любимым, с которым он не расставался уже почти двадцать лет. Вид перчаток всегда навевал воспоминания. Иногда веселые, иногда грустные, связанные с далеким прошлым или недавним. Он даже события последних пяти лет, после ухода из большого спорта и не связанные с ним, часто вспоминал, именно глядя на эти боксерские перчатки. Им он посвятил ту часть жизни, которую считал настоящей.

Жизнь же последних трех лет он такой не считал, хотя, как и сейчас, он все чаще и чаще анализировал именно ее.

Сергей Павлович Сиривля был боксер от Бога, еще в детстве на областных соревнованиях его заметили, а заметив, определили не в какие-нибудь «Трудовые резервы», а в суворовское училище представлять славный армейский клуб. Так он из глухого районного центра попал в Москву, откуда уезжал теперь только на соревнования да погостить у родителей. Военная карьера не удалась — бокс любил, а учиться не очень. Хотя потом, уже будучи именитым, Институт физкультуры осилил и вернулся из подмосковной Малаховки с дипломом тренера. Молодой был, мозги свежие, сил на троих, увлекся, как сейчас говорят, восточными единоборствами, которые тогда еще были запрещены, удачно сочетая теорию с практикой.

Потом там, наверху, поумнели, отчасти насмотревшись на начавших появляться на видеомагнитофонах боевиков, отчасти благодаря поступающим сведениям, чем живут другие. Боксерская подготовка, воспитанная воля и появившаяся вдруг жажда знаний сделали свое дело. О нем заговорили не только как об одном из самых сильных бойцов, но и теоретике восточных боевых искусств. Да и выбирать было особо не из кого. Словом, он почти самоучкой стал профессиональным тренером-консультантом. А потом жена, за ней дети, две дочери и сын, со своими неуемными потребностями привели его сюда... Дома стало лучше, чего нельзя сказать про душу... А теперь еще и это... Его провели, как пацана, и так нахально, что он уже несколько дней буквально бредил местью, не находя себе места. Угрозы шефа его меньше занимали, хотя, может быть, лишь потому, что он почти не думал о них. Конечно, риск был — кто первый начинает, у того и преимущество. Честной разборки Сиривля не боялся, но о каких правилах могла идти речь. Скорее, не дай бог, конечно, наймет умельца, и шлепнут в подъезде одним патроном с контрольным в голову, а то, если денег пожалеет, решето сделают трясущимися руками. Конечно, тогда шефу тоже придется за ним последовать, он уже на всякий случай об этом имел разговор. Однако кому из них такое нужно. Это молодежь зеленая может себе подобное позволить, а им внуков на ноги ставить надо. Как будет, так и будет, но он первым не начнет, ибо чувствовал свою вину и твердо знал, что шеф не брал денег.

Сейчас главным было схватить этого наглеца. Он знал, что не успокоится, пока не докажет, хотя бы самому себе, что с ним такие шутки не проходят.

Стук в дверь прервал тяжелые думы хозяина. В комнату вошли сразу все четверо.

Посовещались, недовольно подумал Сиривля после короткого приветствия и, пристально глядя на стоявших перед ним парней, спросил:

— Ну что, додумались, куда уплыли денежки?

— Сергей Павлович, ничего нового мы сказать не можем. Как хотите, но к «дипломату» никто не прикасался, — ответил за всех самый видный, которому сам Бог велел быть главным, настолько хорошо смотрелся, да и голова, видимо, работала. — Мы уже и ночью не спим, но что толку и о чем можно думать, если к этому гребаному чемодану никто не подходил...

— А мне наплевать, что вы не спите! Спать в морге будете, понятно. Да, там наспитесь, если не найдете этого ловкача. Всех проверить — банщика, сранщика... Кого угодно, но всех без исключения. А вас я сам наизнанку выверну, будьте уверены, — взбесился Сиривля, вскочив с кресла и зашагав тяжелыми шагами по кабинету. — Нечего дурака из меня делать... Даже если бы у баксов ноги были, они не могли убежать, так как замки были закрыты.

Некоторое время помолчали. Хозяин кабинета, немного успокоившись, снова уселся в кресло и предложил сделать то же стоящим ребятам.

— Сергей Павлович, так давайте у нас в лаборатории проверим замки и, если их не взламывали, оторвем яйца тому, у кого ключи, и вер... — обрадовавшись пришедшей мысли, начал тот же парень, но вдруг запнулся на полуслове от мысли, что ключи могли быть у Сиривли.

— Да договаривай... Что уж там, тем более нет у меня ключей, ключи у заказчика. Да он при мне и закрывал, и открывал. А замки я уже проверил, ключом открывали...

— Ну так...

— Что «ну так»... Говорю же, при мне все делалось... Хрен знает что творится... — обреченно вздохнул Сиривля.

Опять замолчали. На этот раз тишину нарушил стук в дверь.

— Разрешите, Сергей Павлович? — несмело заглянул в комнату охранник.

Начальник недовольно посмотрел на него, как бы спрашивая, ну какого тебе хрена здесь надо, когда видишь, что люди разговаривают.

— Что у тебя там?

Охранник нерешительно вошел в кабинет и поставил на стол злополучный «дипломат» из сейфа шефа. Поначалу Сиривля подумал, что шеф, зная о предстоящей встрече, передал «дипломат», чтобы легче было разобраться, но, вспомнив, что тот приедет только к вечеру, моментально понял, в чем дело.

— Где ты это взял? — вскочив, бледнея от бешенства, заорал начальник охраны.

— Уборщица передала, он стоял в туалете... — робко сообщил вошедший парень.

— В мужском?

— В женском...

Сиривля медленно, с напряжением открыл «дипломат», наперед зная, что там. Так и оказалось: на дне лежали связка ключей и конверт с надписью: *«Это интересно»*.

Дрожащими от возбуждения руками был вскрыт пакет, где так же красиво, как и в первый раз, был на компьютере напечатан текст:

*Уважаемые господа.*

*В связи с материальными затруднениями убедительно прошу вас увеличить полученную мною сумму в полтора раза и положить «дипломат» с деньгами на крышу Экспоцентра завтра, также в шестнадцать часов. В противном случае буду вынужден сообщить о ваших забавах. Честью клянусь, что это последняя просьба.*

*Заранее благодарен. X.*

*P.S. Прошу учесть, что я не девочка и в куклы не играю. Если что, буду вынужден попросить удвоенную сумму.*

Было от чего почесать в затылке. Так они и сделали машинально — все шестеро, включая охранника, принесшего «дипломат».

## ГЛАВА 11

Далеко за полдень работники ночного клуба «Мираж» начали приходить на работу. Первыми появились в зале официанты и уборщицы, и началась работа по подготовке помещения к предстоящему вечеру. Руководил всем главный менеджер заведения Максим Аркадьевич, называемый всеми для краткости просто Максом. Он уже побывал в бухгалтерии, на складе, проверил начало работы на кухне, а сейчас следил за работой зала. Отлаженный механизм работал, не давая сбоев, но Макс был чем-то недоволен. Он, явно чего-то или кого-то ожидая, то и дело нервно поглядывал на часы. Наконец убедившись, что все в порядке, и дав последние указания старшему официанту, покинул зал, отправившись в музыкалку...

Эту комнату можно было назвать и складом, и

раздевалкой, и комнатой отдыха, и репетиционной, настолько многочисленными были ее функции, но когда ее называли «музыкалкой», все работники знали, о каком помещении идет речь и где оно находится. Главный менеджер клуба редко сюда заявлялся, но сегодня пришел и уже более получаса ходил по комнате из угла в угол. Никто из сослуживцев никогда не видел его, всегда спокойного и безукоризненно выглядевшего, в таком виде и состоянии. Длинные волосы спадали на стороны неухоженными прядями, элегантный расстегнутый пиджак бесформенно болтался на его узких плечах. Белоснежная сорочка была наполовину расстегнута, а черная с блестками бабочка трепетала в его дрожащих руках, которые то и дело он подносил ко рту, издавая характерный щелчок откусываемых ногтей.

— Господи, ну что ты так поздно? У тебя получилось? — бросился он навстречу только что пришедшему на работу певцу.

Илья, не обращая на него никакого внимания, устало опустился в кресло, не спеша закурил и только после нескольких затяжек удостоил вниманием метавшегося вокруг него главного менеджера.

— Просто, как винегрет. А ты, Максим, молодец, вовремя позвонил, — похвалил он и, вновь затянувшись, закрыл глаза, явно наслаждаясь происходящим.

— Да чего здесь сложного... Как раздался звонок, так я и перезвонил. Кстати, верни мне сотовый, а то уже жена спрашивала. А деньги, где деньги? Куда ты дел деньги? — теребя чуть трясущимися руками бабочку, нетерпеливо повторял Макс.

— Успокойся, что за вид? Ты же лицо нашей фирмы... Посмотри на себя. Ручонки трясутся, будто первый раз трусики с девочки стягиваешь... Да не нервничай так, а то свою птичку без крыльев оставишь.

— Перестань издеваться, — вспылил менеджер и, отбросив бабочку, вцепился в рубашку певца. — Деньги где?

— Ну ты не только бздун, но и псих, — невозмутимо констатировал Илья, без особых усилий освобождаясь от захвата. — Рубашку порвешь, а мне вечером выступать. Понимать надо. И как таких главными менеджерами держат... Не волнуйся, все ол райт... А деньги, как пишут в детективах, в надежном месте. И перестань дергаться... Вот только смотрю я на тебя, и невольно напрашивается мысль, что ты мне очень мало предложил. А?..

Максим Аркадьевич быстро пришел в себя, как только услышал, что все в порядке.

— Побойся Бога, Орел! — воскликнул спустя несколько минут главный менеджер, придя в себя. — Тебе что, пять штук за трехминутную работу мало? Да ты год пахать должен за такие бабки.

— Ну ладно, Макс, не жмись! Ты же мужик не из бедных и не из глупых... Сам понимаешь, что десять на сорок — это несправедливо. К тому же если бы не я, то не видать бы тебе этих денег как своих ушей. Верно?

— Да я бы за пять штук таких бы ребят нанял, что...

— Во-во. Нанял бы... — перебил Илья возмущенного менеджера. — И этих твоих дуболомов уже не было бы на этом свете. Было бы несколько трупов, в основном с той стороны, много шума, а деньги все равно остались бы у клиента. И еще не факт, что ты бы сейчас со мной разговаривал, а не лежал в лучшем случае с отбитыми почками и прореженными зубами. Тебе, Макс, нужно не американские боевики смотреть, а читать детективные романы.

— Ладно, без соплей как-нибудь обойдемся, будешь еще меня учить, — пряча смущение под раздражением, ответил Максим после секундного замешательства. — Хорошо, забирай шесть тысяч, и разойдемся довольными.

— Я так и думал. Приятно иметь дело с умными людьми, — ответил Илья, удовлетворенно улыбаясь, и, поднявшись с кресла, направился к выходу.

В коридоре никого не было, и только доносившиеся из зала голоса официанток нарушали тишину пустого помещения. Он плотно закрыл дверь и, заговорщически подмигнув Максиму, нетерпеливо наблюдающему за ним, подошел к сложенным в углу колонкам.

— А вот и наш маленький сейфик, — признался Илья, разворачивая одну из них, которая тотчас же была вскрыта оказавшимся в кармане брюк перочинным ножом.

В глубине колонки стоял «дипломат», при виде которого Максим невольно изменился в лице и, нервно облизывая пересохшие губы, отстранил в сторону молодого человека.

— Черт, а не ребенок!.. — только и произнес менеджер, вынимая «дипломат» слегка трясущимися руками.

Возвратившийся в кресло Илья с любопытной полуулыбкой наблюдал за суетящимся над замками Максом, а когда отзвучали их характерные щелчки — за суетливым перекладыванием пачек. Внезапно лицо менеджера сделалось сначала удивленным, а затем обиженным.

— Здесь же только... — недоуменно произнес он, демонстрируя зажатые в руках деньги, — только тридцать... тридцать пять?!

— А у тебя глаз-алмаз! Точно в тютельку! — восхитился Илья. — Умеете вы, богатенькие, денежки считать!

— Грабитель! За что ты взял тридцать процентов? — чуть не плача, не то спросил, не то пристыдил Макс, обреченно опускаясь в кресло напротив парня.

— Макс, ну сам посуди, — уже серьезно начал Илья. — Кто план придумал, как заполучить эти деньги? Я. Кто рисковал? Тоже я. Если бы меня там застукали, с живого шкуру спустили бы. С меня, а не с тебя... Я даже подумывал поначалу взять половину, но потом решил, что тридцать процентов — это справедливо, ведь всю эту аферу с шантажом ты заварил. Я же не жадный, но справедливый, а на пятнадцать штук себе три клипа сделаю...

Илья, размечтавшись, замолчал, уставившись на барабан, на котором покоились его ноги. «А почему бы и нет. Пусть не три, но два сниму. Кто меня здесь слышит? А та чавкающая публика да потягивающие коктейль проститутки...»

— Ты, значит, так решил? Ладно! — прервал Максим раздумья Ильи, забрасывая пачки в потрепанный полиэтиленовый пакет. — Ты плюнул в колодец, Орел! Ты не держишь слова. Больше у меня с тобой никаких дел!

Илья с безразличием смотрел на беснующегося менеджера. Он за месяц работы достаточно узнал этого человека и, понимая его состояние, не мешал высказаться.

— Ты еще пожалеешь, Макс слов на ветер не бросает!

Громко хлопнувшая дверь возвестила о конце разговора.

Илья посмотрел на часы и поспешил в зал, где его уже ждали ребята из оркестра.

Репетиция новой песни Орла шла полным ходом, когда в зале появился Бартеньев и из глубины начал внимательно наблюдать за работой музыкантов...

— Поднастрой бас и играй потише, — остановив оркестр распорядился Илья, и, немного подождав, запел, но, не закончив куплет, опять остановился.

— Миша, барабан сюда не в кассу, сам не слышишь, что ли? — определил певец и вновь кивнул музыкантам...

С песней что-то не ладилось. Это понимал Орел, автор и исполнитель в одном лице, это понимали и его ребята-музыканты, судя по тому, как вновь и вновь повторяли одно и то же место. А вот хозяину песня сразу понравилась, понравилось и ее исполнение. Он был уверен, что подвыпившая публика будет довольна. Песня создавала настроение, и он, по большому счету ничего не смысливший в музыке, уже после второго исполнения невольно пытался подпевать, неумело отбивая ритм пальцами о край стола.

«Настырный пацан, — удовлетворенно подумал Вячеслав Сергеевич о своем солисте. Что же у него с этим вчерашним налоговиком произошло?»

Этот вопрос не давал ему покоя, и он очень сожалел, что из-за неугомонного Лазаренко не смог выяснить все еще прошлой ночью.

— Работайте, работайте, ребята, не обращайте на меня внимание, — благосклонно кивнул в ответ на приветствия музыкантов Бартеньев и, закурив сигарету, расположился за служебным столиком рядом с эстрадой.

Присутствие хозяина воодушевило молодежь, и у них пошло...

Вскоре они исполнили песню так, что все остались довольны, а Бартеньев поощрительно несколько раз хлопнул в ладоши.

— То что надо. Всем спасибо! До вечера, — поблагодарил Илья и, отложив гитару, направился к бару, прикуривая на ходу.

— Орел, — окликнул певца Бартеньев, когда тот проходил мимо столика.

— Да, Вячеслав Сергеевич.

— Присядь-ка на минутку, разговор есть, — и,

подождав, когда парень усядется напротив, спросил: — Эту вещь ты сам написал?

— Сам, — не смутившись, признался Илья, а чего стесняться — хорошая песня.

— Молодец, приятная вещь. Авангардная в чем-то. И публике, я думаю, понравится. Танцевать под нее легко. Я уж, конечно, не танцор, а и то ногой тебе подстукивал.

— Спасибо, я рад, что вам понравилось.

— А сколько у тебя вообще песен? — спросил с искренним интересом Бартеньев и уточнил: — Приличных я имею в виду.

Польщенный вниманием и чуть приоткрывшейся на горизонте надеждой, Илья довольно скромно ответил:

— Мне кажется, на пару альбомов наберется.

— Даже так?.. — не скрывая удивления, проговорил Вячеслав Сергеевич. — А ты не пытался их пристроить куда-нибудь?

— Пытался, — ответил Илья и, зная наперед следующий вопрос, продолжил: — Везде говорят, что неплохо, потом начинают загибать пальцы, и выходит здоровенный кукиш. А рисковать никто не хочет...

Бартеньев внимательно посмотрел на Илью и, немного помолчав, сказал, не то спрашивая, не то размышляя:

— А может, вложить в тебя деньги...

И вновь замолчал, размышляя. Выходило, что можно попробовать. Голос у парня бесспорно есть, да над голосом еще и поработать можно. Не больно-то много похожих на Магомаева сейчас поют, и ничего. И себя, и окружение кормят. Да и собственные его песни народу нравятся, особенно молодежи. Это видно по посетителям. И зал стал всегда полным... К тем, кто приходит водки попить да попрыгать, прибавились те, кто только его и слушает. Правда, толку от таких посетителей немного, но факт есть факт, и раз такое наблюдается, то есть смысл над этим поработать. Кому, как не ему, об этом судить... Еще бы такую же певичку откопать, совсем бы хорошо стало. А главное — парень настырный и въедливый.

— А что... — прервал размышления Бартеньев и посмотрел еще раз на певца. — Надо бы как-то послушать, что ты там пишешь...

— Да в любое время, Вячеслав Сергеевич, — плохо скрывая радость, предложил Илья. — Могу дать вам кассеты, правда, качество записи там...

— Это не беда, качество меня не смущает. Вчера, я помню, ты тоже хорошо пел песню... Кстати, а кто это подсел к вам потом? Поклонник твоего творчества?

Парень моментально помрачнел и задумался. По всему было видно, что воспоминания о вчерашнем вечере ему не доставляют удовольствия. Он полез за сигаретами, но, вспомнив, кто перед ним, криво усмехнулся и с пренебрежением ответил:

— А-а, тот... Отец, представляете, объявился... Отыскал алкаш.

— Серьезно? — с нескрываемым интересом спросил Бартеньев.

Илья неохотно стал рассказывать.

— Да он с нами и не жил. Я без него вырос. Это мать его зачем-то реанимировала...

— Ладно, вижу, тебе эта тема неприятна, не будем об этом. Ты мне только вот что скажи, он еще придет сюда?

— Кто его знает. Вполне возможно, и придет. Обещал найти. Первый раз через восемнадцать лет нашел, а теперь как искать будет, не знаю.

— Да ты не переживай, — посоветовал старший, дружески положа руку на плечо. — А если отец появится, познакомь нас. Хорошо?

— Зачем это? — удивленно спросил Илья, но, спохватившись, пообещал: — Да ради бога, конечно, познакомлю, коль появится.

— Ну вот и договорились. А кассеты свои приноси, я послушаю и подумаю, что можно сделать. Иди, удачи тебе.

— Спасибо, я завтра же это сделаю, — ответил Орел и поспешно удалился, провожаемый задумчивым взглядом Бартеньева.

Получалось, что волнения были напрасны и все шло прекрасно. Визит налоговика оказался простым совпадением, и это, безусловно, не могло не радовать. К тому же предстоящее знакомство обещало стать очень полезным. Ему, владельцу такого заведения, не составляло труда завязывать отношения с нужными людьми. Уж очень много соблазнов, дорогих в других местах, становились доступными после знакомства с Вячеславом Сергеевичем. А то, что этот вдруг объявившийся отец появится, он нисколько не сомневался. Раз нашел один раз и обещал найти другой, то где же искать любящему выпить человеку сына, работающего в клубе, как не на работе.

Бартеньев бодро встал из-за стола и, по-хозяйски оглядев зал, остался доволен увиденным. Все было готово к приему гостей, хотя до открытия была еще уйма времени, и главная заслуга в этом конечно же принадлежала главному менеджеру, который в этот момент ходил между столами и отдавал последние напутствия официантам и официанткам. Причем около последних он задерживался подольше, а диалоги заканчивались, как правило, веселым хихиканьем обоих, иногда легким смущением подчиненных.

— У тебя, Аркадьевич, я смотрю, как всегда, полный порядок. Молодец! — искренне похвалил менеджера хозяин и, засмеявшись, нашел возможным негромко пошутить: — Ты прямо как петушок по двору по залу ходишь, да и многие из хохлаток твоих, видимо, не против, чтобы ты их потоптал между делом.

— Если только во время обеденного перерыва, но не на работе. Семья и работа священны! — ответил, самодовольно улыбаясь, Макс, отметив прекрасное настроение хозяина. — Стараемся...

— Вижу... Я сейчас на пару часиков отъеду, так что руководи.

— Будьте спокойны, Вячеслав Сергеевич, езжайте, — заверил Макс и, дождавшись, когда хозяин уедет, решил узнать, чего шеф хотел от его подельника.

Илью он нашел при входе курившим в компании

охранников и, поймав на себе его взгляд, кивнул головой, приглашая тет-а-тет.

— Чего это к тебе шеф подходил? — неожиданно миролюбиво спросил Макс, когда Илья догнал его в коридоре.

— Место главного менеджера предлагал.

— А серьезно... Чего хотел-то?

— Да сам не знаю. Вроде бы песни мои понравились. Авангард, говорит... — искренне ответил Илья.

— А здесь и знать нечего. В наше время авангард искусства находится сзади... Если шеф возьмется, то под его руководством ты сможешь достичь многого. Так что радуйся, — похлопав парня по плечу, посоветовал Макс.

— Да не очень-то я в своих способностях уверен, — ответил Илья и пояснил: — Тех, что шефу необходимы...

## ГЛАВА 12

Ольга вернулась на работу, когда сотрудники отдела только начали традиционный десятиминутный полдник, и, получив отрицательный ответ на вопрос, спрашивал ли кто ее, удовлетворенная уселась на свое рабочее место. Начальника в комнате не было, остальные же расположились у чайного стола, предвкушая приятное времяпрепровождение. Ольга, сославшись на занятость, отказалась принимать участие в общей трапезе и, включив компьютер, принялась за работу.

Присутствующие недоуменно переглянулись,

ибо, согласно неписаным законам коллектива, никто не позволял себе во время десятиминутного перерыва выделяться своим трудолюбием. Работай, если у тебя руки чешутся, в свободное же время чем хочешь, тем и занимайся.

— Капитан, может, к нам присоединишься? Смотри, какая аппетитная колбаска, телячья. Один кружок на четыре бутерброда, — продемонстрировал Платонов один из кусков аккуратно нарезанной колбасы немыслимого диаметра. — А то как-то неудобно получается. Женщина работает, а мужики чайком балуются. Ладно бы еще пивком или водочкой.

— Вот тогда бы я не отказалась, а так не хочу, — ответила Ольга, вставляя дискетку.

— Это что, руководство к действию? Я сбегаю, пока закуску не съели, — предложил Русанов, оглядывая товарищей, и, остановив взгляд на Ольге, замолчал, добавив: — Желание женщины — закон для порядочных мужчин...

— Чего уставился, шуток не понимаешь? — сказала Калинина, не отрываясь от экрана. — Я сыта, не обращайте внимание.

— Ну я и говорю, что желание женщины — закон, — повторился Дмитрий и предложил товарищам не мешать Ольге разговорами.

Полдничали молча и долго, тщательно пережевывая бутерброды и медленно запивая чаем, при этом специально сопровождая процесс активным шумовым оформлением. В конце концов мужчинам это надоело — работа хоть и не медведь, но требовала к себе внимания, а равнодушие к их поведению со стороны женщины было полным.

Ольга не притворялась, она действительно не замечала ничего вокруг, изучая содержание дискетки, и, лишь закончив знакомство с ней, подала голос.

— Ребята, посмотрите-ка сюда, — позвала она, вернувшись к первому файлу.

Сотрудники по-разному, кто быстро и охотно, кто лениво и скучающе, отреагировали на это, но подошли все, и Ольга завела картинку на монитор. Она вновь, уже вместе со всеми, посмотрела файлы, содержащие информацию о ночном клубе «Мираж» и досье на основной персонал, начиная с Бартеньева и кончая охранниками.

— Как кино? — спросила Калинина, выключив компьютер и ожидая реакции товарищей.

— Ночной клуб. Руоповское досье, — начал сдержанно Русанов. — Ну и что?

Сидящая у компьютера Ольга посмотрела на него снизу вверх и, выдержав паузу, ответила:

— А то, Дима, что над этим сейчас работает наш начальник.

— Ну работает, а что тут такого особенного. Мы же работали в прошлом году по ночному клубу. Название сейчас вспомню, — задумался было Калинкин.

— Подожди, подожди... Как это — начальник работает?.. Это что, без нас работает? Ольга, ты это имеешь в виду? — недоуменно спросил Павлюченко, словно проснувшись.

— И это тоже.

— А что, кроме «тоже»?

Калинина поднялась со стула и, подойдя к чайному столу, налила в чашку уже остывший чай. Затем, быстро выпив его большими глотками, вернулась к своему столу. Стараясь сдерживать волнение, Ольга ответила:

— А то, что он непрестанно хамит. Хотя не в этом дело, ибо никогда салонными манерами наш майор не отличался. Вы что, действительно не видите, с ним в последнее время что-то происходит?.. Почему его избили, вы знаете?.. Не знаете. Где он сейчас?.. Тоже. А его нет почти целый день. Ну где он может быть?..

— А кто его знает. Дед и тот понятия не имеет, где он, — напомнил Калинкин об утреннем визите вышестоящего начальника. — Кстати, как бы не забыть, что он просил майора предстать пред светлые очи.

— Предстанет, если появится, — вставил Русанов и замолчал.

Молчавший все время капитан Платонов заговорил чуть громче обычного, не скрывая свою озабоченность фактами.

— Из того, что мы сейчас посмотрели, ясно, что у майора возникли неприятности, как-то связанные с этим «Миражом». Там, вероятно, он и подрался. Это сейчас неважно. Главное, что он наверняка там оказался и не все этим были довольны. Теперь вопросы: почему он никому не рассказал, над чем работает? Почему никого не подключил к этому делу? И наконец, почему говорит, что это его личное дело?

— Вот-вот, он нас с Женькой даже из кабинета выставлял, чтобы по телефону пошептаться. Когда такое было? — немного обиженно пробасил Павлюченко. — Скажи, Калинкин?

— В общем, деньги у него кончились, видно, просадил все... У меня занимал. Боюсь, завтра такой же придет... Хотя нет, вряд ли, он не запойный. Ну, да посмотрим...

— И какой вывод? — спросил Русанов, посмотрев на Платонова, а затем, переводя взгляд с Платонова на Ольгу, повторил вопрос: — Вывод-то какой?

— А вывод — это его личное дело, — ответил Платонов. — Больше же он ничего не сказал... И ему надо верить. Врать не умеет, промолчит.

Некоторое время стояла тишина. Уже все присутствующие не сомневались в том, что их начальник влез в какую-то историю, но вывод был неутешительный, так как не давал никакой зацепки, чтобы начать что-то делать. А время уходило... И это они понимали, как и понимали, что необходимо было что-то предпринять, но что?

Прервала молчание Ольга:

— Но все-таки я кое-что разузнала. Четыре дня назад Никите звонит его бывшая жена, Маша, и просит помочь разобраться с их сыном, Ильей. Парню скоро девятнадцать лет, и он, судя по всему, замешан в каком-то нехорошем деле. Майор с ней встречается, после чего приходит на работу с разбитой физиономией. Дальше он запрашивает в РУОПе информацию, которую мы с вами видели, ну и так далее... Вывод: Никита боится подключить нас к этому делу, потому что в нем замешан его сын. Видимо, хочет разобраться сам, а дело, если оно есть, спустить на тормозах, чтобы Илья... ну, в общем, не пострадал.

Сотрудники удовлетворенно переглянулись. Сообщение Ольги немного сняло напряжение и обрадовало, так как появилась маломальская возможность что-то делать, а не сидеть сложа руки.

— Похоже, все так и есть, — со вздохом согласился Русанов.

— И что ты предлагаешь? — обратился к Калининой Платонов.

— Я предлагаю подстраховать его. Пока ему только морду набили, но ведь может случиться и что-нибудь похуже. Я не права? — начала Ольга и, не дожидаясь ответа переглядывающихся сотрудников, продолжила: — Мы не станем «проявляться», если ничего не произойдет и никакой опасности для Никиты не грозит. Но если с ним что-нибудь случится... мы же не простим себе этого потом. Вы понимаете?

— Она права, мужики. Я — «за», — не задумываясь, ответил Калинкин.

— Ну что же... Я вижу, что ты уже в деле, — с легкой иронией продолжил Русанов. — С чего начнем? Возьмем Никиту и этот «Мираж» в разработку?

— А что еще остается?.. Время — деньги, — посмотрев на часы, добавил Павлюченко. — Главное сейчас, найти Никиту. А попробовать это сделать мы можем у него дома, в этой забегаловке и у жены... Хотя последнее вряд ли...

— Или здесь, если вернется, — добавил Калинкин.

— Все правильно... Значит, двое к клубу, двое к дому, жена подождет... Теперь адреса... Где живет Никита, мы все знаем. Ольга, включи машинку, посмотрим, где может быть наш шеф,— вступил в обсуждение Платонов.

— Да я этот адрес и так помню, — ответила Калинина и, написав его, показала остальным.

— Он может быть и на Голубинской у Наташи. Я проверю, — сказал Русанов.

— Тогда все. Остальное как обычно. Один здесь на связи. И никакой самодеятельности. Поняли?.. — закончил инструктаж Платонов.

— Только для Деда нужно поставить дымовую завесу, — подсказал Калинкин.

— Молодец! Вот ты и дыми, — засмеялся капитан. — Потопали...

И уже через час с бутылками лимонада в руках и одним большим пакетом чипсов на двоих Павлюченко и Русанов под тихо звучащую музыку автоприемника наблюдали из окна машины за домом майора. Работать было легко, кирпичная башня наблюдаемого дома имела всего один подъезд и единственную площадку перед ним, куда можно было поставить машину. Правда, на этом пятачке легко быть замеченным, но в данном случае это не так уж и страшно, ибо всегда можно было объяснить свое появление срочным требованием явиться к начальству, что было отчасти правдой. К тому же их автомобиль был припаркован на единственном свободном месте в ряду машин с этой стороны подъезда, и любому вновь подъезжающему ничего не оставалось делать, как ставить машину с другой стороны.

— В первый раз «работаю начальника». Ну и дела, — потянувшись, произнес Павлюченко, — Кого только не пас, а вот такого еще не было.

— Да, заметит... труба дело. И встали мы как-то неудачно. Надо нам было хотя бы по бутылке пива выпить, тогда бы, если что, полегче было бы. Мол, продолжить заехали, а заодно и узнать, как самочувствие. Как считаешь?

— Да чего уж теперь об этом говорить. Бог даст, скоро поужинаем, — ответил Павлюченко, похлопывая по крышке бардачка. — Только вдвоем.

— Согласен. В нашем случае третий был бы лишний, — невнятно проговорил Русанов, как вдруг увидел в зеркале подъезжающую «Ниву» и опустился на сиденье пониже. — Вот и они пожаловали. Сейчас мы все наши опасения сможем проверить...

— Гнездо, Гнездо, я Орленок. Как слышите? — возбужденно запросил Павлюченко.

— Я — Гнездо, говори, птенчик.

— Объект у дома, паркует машину. Дальше будем вести сами. Прием.

— Вас понял, птенчик, желаю удачи.

— И тебе счастливо отдымиться. Конец связи.

## ГЛАВА 13

К вчеру стало прохладнее. Сейчас, спустя более трех часов с начала безвылазного сидения, неподготовленность мероприятия начала себя проявлять. Ребятам было холодно и хотелось есть. С холодом сначала пытались бороться цивилизованными методами, но, когда стрелка уровня топлива подошла к тому положению, что начала мигать красная лампочка подачи резервного запаса, пришлось с ним бороться дедовскими методами, похлопывая и потирая себя по ляжкам в такт музыки. С голодом бороться было труднее. Нелишняя в данный момент бутылка «Гжелки» только разыгрывала аппетит, и каждый из присутствующих охотно обменял бы ее на пару бутербродов.

— Наутро там нашли два трупа, — с пафосом произнес Русанов, зябко поежившись. — И что это я не догадался первым сказать про дымовую завесу.

— Во-первых, там нашли три трупа, классику знать надо, — поправил товарища Павлюченко. — Во-вторых, брось кривить душой... С каких это пор тебе вот так мерзнуть стало хуже, чем потеть от Дедова разноса?

Дмитрий, на секунду представив то и другое, вынужден был признать необоснованность своего заявления. Решили по очереди вздремнуть. Через полчаса его разбудил голос товарища.

— Гнездо, я Орленок. Как слышите? Прием.

— Я Гнездо, говори, птичка. Прием, — услышали они голос жующего Калинкина.

— Объект вышел из дома, идет к машине. Начинаем вести. Прием.

— Вас понял, желаю удачи. Конец связи.

— Перестань жевать, когда другим есть хочется, — ответил Павлюченко, уже отключив переговорное устройство. — Издевается, гад. А знаешь, может, ты и прав насчет дымовой завесы. Судя по его голосу, Дед в хорошем настроении.

— Как ты мог заметить, я часто бываю прав, — потянувшись после сна, без лишней скромности ответил Русанов и, подождав, пока их машина выедет вслед за «Нивой» на проезжую часть, заметил: — А наш начальник неплохо смотрится, разрядился, смотри как.

Вести наблюдение, наперед зная маршрут, было нетрудно... Машина играючи проскочила почти половину города, оставаясь незамеченной, и уже через полчаса они припарковались у клуба «Мираж» подальше от входа и машины начальника.

— Ну вот, а теперь я посплю, — предупредил напарника Павлюченко, когда майор скрылся в фойе ночного клуба. — А ты сообщи пока, где мы...

— Спи, мой птенчик, сладко-сладко, — пропел Русанов и с завистью заметил: — А Никите, в отличие от нас, сейчас хорошо!..

Орлы сидели за тем же служебным столиком, скромно накрытым по поводу их встречи. Оба были настроены куда более миролюбиво, нежели в предыдущий вечер, и негромко обсуждали возникшие проблемы.

— Кто же ей тогда звонит? Почему требуют, чтобы она сказала, где тебя искать? — недоверчиво спросил Никита, не сводя глаз с лица сына.

— Понятия не имею, честно. Да я и не прячусь, чего меня искать-то, — совершенно искренне отвечал Илья, тоже смотря прямо на отца. — Может, ей нужен был повод с тобой встретиться...

Никита на секунду задумался, вспоминая встречу с Машей, и не находил разумного объяснения. Все кончено давно и плотно. Правда, кто их поймет, эти артистические натуры... Красивой бабе ума как бы не положено иметь, а вот капризы — пожалуйста. Все простят. Маша была напугана. Значит, звонки все-таки были. Не ради же переглядок встречаться?

— Нет, какой там встретиться... Да она и не одна была, с Сережей, знаешь такого?

Илья отрицательно покачал головой:

— Нет, дяди Сережи у меня не было. Может, дядя Саша?

— М-да... Сережа, я точно помню... Ладно, да черт с ним. Ну а матери-то ты позвонил? Успокоил хоть немного ее?

— Звонил, — тяжело вздохнув, неохотно ответил парень и задумался.

Никита тоже замолчал, глядя на сына. Он уже который раз пытался представить себе его в различные годы жизни, когда мальчик действительно нуждался в отце, и все время получалось по-разному. Никите хотелось быть нужным этому парню, пусть он и взрослый. Уловив настроение сына, сочувственно спросил:

— Ну и как она?

— Да никак, — ответил Илья, как показалось отцу, немного поморщившись.

Отец понимающе усмехнулся, мол, всякое за твоей мамочкой водится.

— Наорала небось?

Илья испытующе посмотрел на Никиту и, немного поразмыслив, видимо, решился высказаться.

— Ладно бы наорала... Так потом истерика началась. Она, кстати, лепетала, что ей никто не угрожает, а с тобой уже сто лет не говорила. Ни лично, ни по телефону. Странно как-то получается... Не находишь?

— Ну, значит, я тебя сам, по велению сердца, нашел, раз она со мной не говорила... А что значит — лепетала?

— А то и значит... Пьяная была, ты что, не врубаешься?

Никита был готов услышать про свою жену все, но только не это. Уж что-что, но чтобы его бывшая лепетала, будучи пьяной, не укладывалось в голове. Он, шокированный этой новостью, какое-то время молчал, а потом выдавил из себя:

— Она что... пьет?

Теперь настал черед удивляться Илье. Он, посмотрев на отца недоуменным взглядом, ответил:

— Нет, на хлеб намазывает. Ты что, не знал?

— И давно?

— Да сколько я себя помню. Сначала понемногу, а сейчас... — вздохнул сын, безнадежно махнув рукой.

— Откуда?.. А так вроде и непохоже. Выглядит ничего, и мужик с ней был вполне приличный.

Илья, прежде чем ответить, закурил сигарету, несколько раз глубоко затянулся и лишь потом, согласно кивнув головой, произнес:

— Да ее не разглядишь сразу — пьяная или нет. Пока свою дозу не примет и рта не раскроет.

Никита тоже закурил. Оба молчали. Один — ошарашенный вестью, другой — вспомнив свое житье в родном доме.

Мать начала пить еще до смерти бабушки, а уж потом, когда это случилось, развязала по-черному. Часто меняла работу. Временами наступали перерывы между запоями, иногда довольно продолжительные, поводом для которых служили, как правило, или отсутствие денег и кредиторов, или новое увлечение. Она, если хотела, могла нравиться мужчинам. Больные почки давали о себе знать почти постоянно, и когда боли обострялись, также наступало затишье. Во время этих перерывов женщина преображалась. Только вот глаза подводили — скрытые за дымчатыми стеклами специально надеваемых очков, они оставались всегда воспаленными и злыми.

— Дела... Так ты поэтому дома не живешь? — нарушил молчание Никита.

— И поэтому тоже. Нажрется, начинает ныть, как ей тяжело, что я такой же... Ну словом, как ты.

— Да, быть похожим на меня — это, брат, диагноз, — грустно улыбнулся Орел-старший.

Илья, улыбнувшись в ответ, не без гордости ответил:

— Я бы не сказал... Не прибедняйся. Ты мужик что надо, даже Динке моей понравился.

— Что поделаешь, это семейное, — смеясь, ответил Никита, обрадованный очевидной переменой в сыне. — Давай по маленькой, за встречу...

Уже как-то по-другому поглядывая друг на друга, закусили, после чего сын вышел на эстраду, а Никиту потянуло подышать свежим воздухом.

Народ понемногу подтягивался. Это чувствовалось и в фойе, где еще час назад скучающий швейцар трудился теперь не покладая рук. Здесь, в конце очереди в гардероб, он заметил Дину, только что снявшую пальто.

— Папочка, привет, а где ваш сын? — весело встретила она Никиту, словно старого знакомого.

— Поет соловей, а я вот воздухом подышать вышел, — невольно любуясь красотой и молодостью девушки, ответил Никита, не скрывая восторженной улыбки.

— Ну и я тогда с вами пройдусь, а то сейчас начнут приставать с танцами, — решила девушка и, накинув пальто, взяла мужчину под руку. — Только смотрите, вы без пальто, а там холодно.

На улице было действительно свежо, но безветренно. Крупные снежинки, может быть последние в этом году, медленно оседали на асфальт, перекрашивая его в белый цвет. Никита и его юная спутница, весело разговаривая, медленно прогуливались по тротуару между зданием клуба и нестройным рядом припаркованных машин, в самой крайней из которых, согнувшись в три погибели, прятались ведущие наблюдение.

— Ушли? — с надеждой спросил более крупный Павлюченко у чуть высунувшегося товарища.

— Замри, опять возвращаются, — обрадовал его

коллега, вновь запихивая свое тоже не маленькое тело под панель приборов.

Так продолжалось пару раз, после чего парни решили сидеть не высовываясь.

— Посмотри, может, уже нагулялись, — прошептал Павлюченко, когда звук голосов на некоторое время смолк.

— Ну нет, теперь твоя очередь поразмяться, — возразил Русанов. — Да и девчонку получше разглядишь.

Павлюченко кряхтя высунул голову и, тут же опять нырнув вниз, от души шепотом выругался, после чего добавил:

— Идут... Гулял бы, где светло, так нет же, все в темные места девку тянет, старый хрен. Когда же он свои яйца отморозит?..

Звук голосов усиливался, но где-то недалеко от машины прогуливающаяся пара остановилась и повернула обратно, чтобы возвратиться назад.

— Слава богу, надышались, — облегченно вздохнул Павлюченко, расправляя затекшее тело. — И как же тебе повезло, Русанов, что у меня «Волга», тебе бы с майором кого-нибудь попасти.

— Ну ты же человек предусмотрительный, все наперед знаешь, — начал рассуждать Дмитрий и, не дождавшись возражений, продолжил: — Вот только не кажется ли тебе, что мы здесь пустышку тянем? Ларчик-то просто открывался... Ей-ей, нашего Орла понесло именно из-за этой девицы.

— Ничего удивительного, из-за такой можно и с разбитой мордой походить, а напиться в такой компании сам Бог велел. Вот тебе и факты... Только нас с тобой кто утешит, выходит, что мы сегодня зря здесь мерзнем. А беда-то не с Никитой.

— С Наташей. Верно.

— При чем тут Наташа? Разве у него с ней не всё? Я про Ольгу.

— А Ольга тут при чем?

— Дурак ты, Русанов, не видишь ничего.

— М-да... Беда...

— Это точно... Женское сердце не обманешь, — согласился Павлюченко. — Но нам с тобой от этого не легче, клуб-то ночной. Да... майору сейчас куда лучше, чем нам. Небось танцует со своей и не знает, как его покой тут бдительно охраняют замерзшие товарищи.

Но Павлюченко не угадал. Оркестр в это время ушел на перерыв, а Илья одиноко сидел, ожидая отца, который пришел не один.

— Смотри, кого я тебе привел. Дина, познакомься, это мой сын, — весело сказал Никита, подходя к столику.

— Не буду, он не в моем вкусе, да и поет, наверное, а я скромных люблю, — засмеялась девушка, чмокнув парня в щеку.

— А я люблю... — хотел было ответить Илья, что он любит неопаздывающих, но замолчал, так как увидел направляющегося в их сторону хозяина заведения.

Бартеньев неторопливо шел по залу, то и дело приветствуя завсегдатаев, пожимая руки и целуя ручки. Оказавшись рядом со столиком, он по-дружески протянул Илье руку и с улыбкой поприветствовал его гостей:

— Здравствуй, Илья. Ты кассеты для меня приготовил?

— Здравствуйте, Вячеслав Сергеевич. Конечно, приготовил. Сейчас принесу.

— Ну к чему такая спешка, Илья. Вечер только начался, еще успеешь, — ответил тот, положив руку на плечо вскочившего было парня, и, остановив взгляд на Никите, с вежливой улыбкой продолжил: — Не хочу мешать вашему общению.

— Да что вы, Вячеслав Сергеевич, — смутился Илья. — Кстати, я вас не познакомил. Это... мой отец, а Дину вы знаете.

Орел-старший невольно улыбнулся. Слова, сказанные только что сыном, приятно взволновали его. Он привстал со стула и, пожимая протянутую руку, представился.

— Очень приятно, Никита.

— Мне тоже очень приятно, Слава, — в свою очередь произнес Бартеньев.

Последние слова Вячеслав Сергеевич произнес как никогда искренне. Еще бы... Решив только вчера познакомиться с этим человеком, он уже сегодня осуществил задуманное, отметив при этом волнение Никиты, которое не могло не обрадовать. Выходило, что не такая уж она и железная, эта налоговая элита, раз так реагирует на знакомство с хозяином заведения. Вечно этот хохол пытается раздуть значимость им сказанного. Ну что, нельзя было просто сказать: «Майор налоговой полиции». Майоров мы не видали? А то? «Там у них в полиции кадры особые... Вот он как раз оттуда. Специально обученные и с огромными правами. «Белая косточка?» — вспомнил он слова Лазаренко.

— Вячеслав Сергеевич, я кассеты сейчас притащу, — решил все же не откладывать это дело Илья. — Дин, пошли со мной.

Они через кухню прошли в служебные помещения и оказались в узком слабоосвещенном коридоре, в середине которого Илья приостановился.

— Пока на забыл. Когда тебя завтра можно будет дома застать? — спросил он, оглядываясь по сторонам, словно не хотел, чтобы их услышали.

— До обеда точно, а потом у меня практика. А что?

— Так, ничего особенного... Мне нужно один журнал заполучить, ты поможешь?

— Конечно помогу, ну а что надо сделать?

— Да позвонить в одну контору, я утром, если что, сообщу подробности, — ответил Илья и, обняв девушку, заспешил дальше по коридору, миновав который они оказались в «музыкалке».

Закрыв за собой дверь, молодые люди начали торопливо целоваться, радуясь наступившей встрече. Эта радость встречи своим чередом медленно переходила в радость от близости. Поцелуи становились все горячее, а ласки все требовательнее и требовательнее.

— Ты чего опять опаздываешь? — шепотом спросил он, на секунду оторвавшись от ее губ.

— А ты что, не понял еще, что я люблю, когда

меня ждут... — так же еле слышно отвечала Динка, ласково теребя его непослушные волосы.

— А я тебя люблю... — снова припал Илья к губам подруги.

Руки Ильи скользили по крепкому телу девушки, с каждым движением все сильнее и сильнее прижимая его к себе, а оно становилось все податливее, извиваясь и трепеща под его сильными, но ласковыми руками.

— Илюшка, ты с ума сошел, я же не железная... Прошу тебя, не надо сейчас... — прошептала она, когда его ладонь опустилась в вырез платья.

Воспользовавшись его секундным замешательством, Дина опомнилась и тут же взяла себя в руки... Почувствовав перемену в девушке, Илья какое-то время еще пытался вернуть ее, однако вскоре понял, что его Динка отрезвела и ни за что не уступит. Он отпустил девушку и принялся перекладывать кассеты из сумки в карман.

— Ну я прошу тебя, перестань дуться, — ласково попросила она и, увидя, что ее слова остались без ответа, засмеялась.

Ты, это почуяв среди поцелуев,
Не сделал того, что ты мог,
И грустно мне вдвое, что стала виною
Волнений твоих и тревог.

— Сама сочинила или кто помог? — спросил уже пришедший в себя Илья, сохраняя для видимости на лице смертельную обиду.

— Сама, только не я, а известная поэтесса, но ты ее, современная серость, не знаешь, а вот твоя прабабушка, вероятно, зачитывалась.

— А ты думаешь, наши прабабушки такие же бессердечные были? — как можно серьезнее спросил Илья, глядя влюбленными глазами на девушку, ловко восстанавливающую свой макияж.

— Точно не знаю, но уверена, что прадедушкам и в голову не приходила мысль оттрахать свою даму на барабане. Думать надо, а не быть таким... — ответила Дина и постучала пальцем по инструменту, ответившему ей глухим гулом.

— На барабане? Это мысль, только шуму много, — засмеялся Илья. — А вот прабабушки, думаю, были менее жестокими, иначе бы у них по стольку детей не было...

Между тем девушка уже привела себя в порядок и, поправив его прическу, предложила:

— Давай вернемся в зал и потанцуем. Мне сегодня танцевать хочется. Да и шеф твой, наверное, заждался...

Но Бартеньев в это время, забыв про кассеты, сидел напротив Орла, продолжая начатую после ухода молодежи беседу. Начал он ее, как всегда, с вопроса о впечатлении от его заведения, а потом, выслушав не без удовольствия положительный отзыв, тоже традиционно перешел к интересующей его теме.

— Талантливый у вас сын, — выдержав паузу перед тем, как перевести разговор в другое русло, с завистью заметил он.

— Да, — охотно согласился гость с нескрываемой гордостью. — Я в его годы только шайбу гонял да девок. А он, видите ли, песни пишет! Шоу-бизнес!

Нынче редкая дворняжка не мечтает взять этот барьер...

Брови Вячеслава Сергеевича невольно взлетели вверх. Вот так, сразу, он не ожидал... Уж поистине берет быка за рога.

«Что ты, майор, от меня хочешь, мне понятно, а вот что ты дать сможешь, да и нужно ли мне будет это, только время показать способно. А пока... Интересно, когда парень успел ему рассказать о нашем разговоре. Хорош артист... Еще вчера папашу своего ни в грош не ставил, а сегодня с его помощью уже дела делать начал. Такой же шустрый...»

— У меня тоже сыновья. Правда, помоложе, чем у тебя, Никита. Ничего, если на «ты»? — спросил Бартеньев, прервав свои мысли.

— Да, конечно, к чему церемонии, — располагающе улыбнулся Орел.

— Илья вроде не с тобой живет?

— С матерью. Мы с ним только два дня как знакомы.

— Как это? — искренне удивился Бартеньев.

— Да так получилось, — махнул рукой Никита. — С матерью развелись, когда ему было чуть больше года. Она сразу замуж вышла, ну и потребовала, чтобы я не раздваивал отцовство. Папа, говорила она, у ребенка должен быть один... А тут на днях позвонила...

— Что ж, лучше поздно, чем никогда, верно? — спросил хозяин заведения и тут же задал несколько вопросов: — А сам-то ты чем занимаешься? В каких сферах? Не в спорте?

Никита закурил сигарету, а потом, несколько раз затянувшись и поборов удивление, ответил:

— В каких сферах? Так, чиновник мелкий.

— Чиновник — понятие широкое.

— Скорее чиновник — широкая задница, а не понятие, — попытался отшутиться Орел.

Бартеньев искренне засмеялся. Сказанное понравилось. Ему вообще начинал нравиться этот мужик.

— Широкая задница... Это точно. А мне сказали, ты майор налоговой полиции.

Гость продолжал улыбаться, словно сказанное его вовсе и не касается, но неглупый и внимательный хозяин все же заметил, как его улыбка неуловимо изменилась и стала утонченно-опасной. В ней чувствовались сила и уверенность ощетинившегося хищника.

— Надо же, вот это служба охраны у вас! Стоило второй раз появиться, и все уже знаете про меня.

— Третий раз, Никита, третий... — заметил Бартеньев, внимательно следя за реакцией собеседника. — А как ты думал, мы должны знать своих клиентов, как говорится, в лицо.

— Это не Лазаренко ли Саша тебе в бидон сливает? То-то я в прошлый раз видел, как он за салфеткой прячется... — усмехнулся Орел и замолчал, разглядывая публику.

Бартеньев изо всех сил старался выглядеть беззаботным. Дальше ходить вдоль да около не имело смысла. В начале разговора все представлялось куда проще. А сейчас перед Бартеньевым сидел приятный, далеко не глупый мужчина, вероятно действительно не из последних в своем ведомстве. И этот человек ступил на его территорию. Ступил не просто так, как случайный посетитель, а как человек, у которого здесь есть свои интересы, это безусловно. В лучшем случае — это сын, в худшем — работа. Просто так он, видимо, не уйдет, а раз так, то оставалось одно — сделать интересы взаимными.

Вячеслав Сергеевич кашлянул, чтобы привлечь внимание собеседника.

— Среди наших постоянных гостей много интересных людей бывает. Есть очень влиятельные. И эти люди ходят к нам, потому что мы умеем удовлетворить их желания. А вот из налоговой полиции — вы первый. Хорошо работаем... Я вот, например, парня твоего собираюсь, как ты уже, наверное, знаешь, раскрутить. Альбом его выпустить, снять клипы. Парень вроде бы интересный...

— Я об этом впервые от тебя слышу, — искренне ответил Никита. — Думаю, что он об этом мечтает. Конечно, было бы здорово, но мне и отплатить-то тебе нечем.

— Ну что ты, Никита! Ты мне только честно скажи, ты под клуб не копаешь?

— А что, нужно?

Оба натянуто засмеялись... За этим разговором их и застал подошедший к столику Илья, который, усевшись на свое место, первым делом вытащил из кармана и положил перед Бартеньевым две аудиокассеты.

— Вот, Вячеслав Сергеевич. Правда, как я предупреждал, качество записи... — сказал он.

Хозяин заведения положил их в карман и поднялся.

— Ничего, сейчас главное — качество песен, а обо всем остальном я как-нибудь позабочусь. А, Илья? Не пропало желание?

— А вот и украшение вашего стола появилось, — сообщил Бартеньев, увидев входящую в зал Дину, и повернулся к Орлу, протягивая руку: — Никита, очень приятно было познакомиться. Захаживай. Если мест свободных не будет, обращайтесь к менеджеру, я предупрежу, или меня найдите, а то за этот же столик садись. Мы хорошим людям всегда рады...

После крепкого рукопожатия Вячеслав Сергеевич проследовал в зал, а провожающий его взглядом Илья спросил с недоумением:

— Слушай, отец, ты меня поражаешь. В прошлый раз ты Дине понравился, а сегодня Бартеньев... Он ведь за это время, как я у них работаю, ни разу в мою сторону не посмотрел, а как ты здесь появился, готов раскрутку мне сделать. И ведет себя как твой лучший друг. Чем ты их подкупаешь?

— Личное обаяние, наверное, — ухмыляясь, ответил он и спросил: — А ты как думаешь, у тебя получится с этим альбомом?

— Я не уверен в своих способностях, необходимых шефу, — ответил сын, так же как отвечал накануне главному менеджеру. — Время покажет, а пока давай, отец, еще по одной, а то мне петь скоро.

— А ты с нами водочки выпьешь? — спросил Никита у подруги сына, наполняя рюмки, и, когда та кивнула в знак согласия, налил и ей. — Ну, молодежь, за все хорошее...

Илью всегда встречали бурно, а в этот вечер особенно. Публика чувствовала, что ему сегодня хочется петь, и он не скрывал это, впервые смотря со сцены на своего отца. Он чувствовал себя необыкновенно счастливым. Отец танцевал под его песню, с его девушкой.

Уже потом, когда они выпили еще бутылку шампанского и Орел, заторопившись домой, покинул их, Дина, танцуя с Ильей, призналась:

— Если б только знал, как я рада, что тебе хоть с отцом повезло...

Илья готов был согласиться. Странное дело — он никогда не плакал, даже в детстве, даже в юности, когда перепадало под горячую руку от матери, а тут в горле образовался горький комок и глаза увлажнились. Вот тебе и молодежь без сантиментов...

## ГЛАВА 14

Издавна существует мнение, что начальство не опаздывает, а задерживается. Получается, с него как бы и взятки гладки. А каково подчиненному? Разные бывают ситуации. Ну кто, например, ждет начальство, если нет в этом особой нужды? Да никто. Век бы его не видать. А вот когда припрет... Ну там дело ли встанет, или, наоборот, все горит, а самому боязно, или не велено без согласия. Вот тогда по-настоящему узнаёшь всю необходимость начальства и начинаешь испытывать к нему доселе неизвестную любовь и искреннее уважение. Стоишь у закрытой двери или смотришь молящими глазами на секретаршу, перебирая подготовленные документы, а оно, видите ли, задерживается.

Именно так стоял и ждал Сергей Павлович, только в руках держал не бумаги, а черный «дипломат», найденный вчера уборщицей. А время было, в полном смысле этого слова, деньги, и деньги немалые.

Шеф опаздывал уже на полтора часа...

Вчера Сиривля не стал ждать, а его сотовый не работал. Не он один в конторе знал про то, что если сотовый начальника не отвечает, то он отключен ради спокойствия жены и шефу в этот момент хорошо и не до разговоров. Да и ждать вчера не было времени. Получив такой текст, нужно было срочно и основательно готовить встречу. Сегодня уже с утра все было готово, время шло, а шефа не было.

И правильно сделал, что не ждал, потому что вчера днем Вячеславу Сергеевичу было действительно не до разговоров. Он сидел перед телевизором в уютном кресле, с карликовым пуделем на коленях и смотрел на экран. Так это выгледело со стороны, но на самом деле глаза его были полузакрыты. Его не интересовало, что происходит в телевизоре, он размышлял, и не о чем-нибудь важном, а о самом важном — своей жизни.

А еще он отдыхал, так как не отдыхал нигде в другом месте, отдыхал душой и телом. Только в этом доме он вот так, переодевшись в спортивный костюм и тапочки отечественного производства, мог посидеть с полузакрытыми глазами и покайфовать. Дома такой возможности не было. Жена, бесспорно интересная женщина, не занимала теперь в его жизни особого места, и это было обоюдно. Они все больше и больше удалялись друг от друга. Правда, первые годы совместной жизни прошли так, как желали во время свадьбы, — в мире и любви. Первенец их сблизил еще больше, но только на время своего раннего детства. Они оба понимали, что их отношения, мягко говоря, ухудшаются. Родился второй. Жена ждала девочку, родился снова пацан. Будучи по натуре человеком мягким и беззащитным, она не понимала проявления в сыне мужского начала. Его резкость, упрямство, порой грубость мать воспринимала только как недостатки воспитания. Сама не в силах понять и сблизиться с мальчиком, а потом и парнем, она во всем обвиняла мужа.

С рождением же второго ребенка мать просто перенесла заботы по воспитанию старшего на плечи отца. Сама же занялась младшим.

Он жил своей жизнью, жена — своей.

Вот так и жили, впрочем, так живет большинство.

Вячеслав Сергеевич почувствовал, что с кухни начал доноситься посторонний запах. Он встал и, пройдя туда, чертыхнулся. Из кастрюли со свистом и брызгами вырывались бурлящие щи. Убавив огонь и помешав стоящую рядом солянку, он посмотрел на часы и удовлетворенно вернулся в комнату. Согнав зарычавшего пуделя, вновь уселся в кресло и расслабился.

Да, здесь его семья не доставала, как не доставала и работа. Никто из окружения не знал телефон. А от дел тоже нужен был отдых. Это раньше, когда он работал в Москультторге, все за него делали другие. Нет, он, конечно, тоже пахал, но дело было поставлено так, что каждый знал свое место и отвечал за него. Границы обязанностей были точно определены. И не надо думать о неприятных сюрпризах. В крайнем случае ясно, где и как искать концы. У себя он так и поставил работу, но это было низшее звено. А проблема заключалась в том, что высшего звена не было. Был надзор, карательные органы, но не было органа, способного помочь, если что. Но чтобы не произошло такое — «если что», нужно было думать и думать, вертеться и вертеться. Это требовало сил и нервов, а они, в свою очередь, нуждались в постоянном восстановлении. К тому же там, где его все знали, нельзя было позволить себе расслабиться...

Не все то, что он делал, нравилось, но иначе нельзя. Можно уйти, но как делать по-другому, оставаясь, не знал, да и не умел. Жизнь была сытая, но не простая, как и у большинства руководителей. А так хочется иногда почувствовать себя обыкновенным мужиком и поговорить о самых простых житейских вещах. Побыть, в конце концов, самим собой.

Ну у какого начальника порой не возникало желания оторваться. Отправиться куда-нибудь да выпить из граненого стакана под соленый огурец, поговорить по душам. Или вот так, как он, посидеть. Хотя бы раз в неделю. Посидеть, поджидая человека, которому дано увести тебя в другую жизнь. И слава богу, что у него есть такой человек. Судьба свела его с ней шесть лет назад, и еще не было дня, чтобы он пожалел об этом. Как говаривал Штирлиц, запоминаются первое и последнее. Так последнего пока, опять же слава богу, не было, а первое он хорошо помнил...

В то время Бартеньев уже ушел с государственной службы и имел маленькое кафе с шестью столиками. Специализировались в основном на приеме посетителей в обеденное время. Вечерами, из-за отсутствия спиртного, сюда мало кто заходил, так как распивать принесенное категорически не разрешали. Обслуживать любителей погонять кофе особой сложности не представляло, тем более работа была налажена. В общем, дела позволяли уходить домой рано, оставив заведение на заместителя...

Тогда в его семейные обязанности входило приносить кое-какие продукты, отсутствующие по месту работы. И тем вечером он зашел в маленький магазинчик, где одна продавщица могла предложить весь ассортимент продуктового магазина. Покупателей не было. Он стоял и выбирал, когда появилась миниатюрная женщина лет тридцати пяти, в кроличьей шубке и кокетливой шапочке, из-под которой выбивалась светлая челка.

— Добрый вечер, — поздоровалась она с продавщицей. — Мне, пожалуйста, кефир, сырок и батон.

— Что-то давно не заходите? — спросила хозяйка заведения. — Возьмите колбаски, только что привезли. Сама пробовала, советую.

— Да нет, захожу. Видно, смены не ваши были, —

ответила та и, немного подумав, согласилась: — Мне граммов пятьдесят, пожалуйста и три яичка. Пожалуй, до зарплаты дотяну...

— Возьмите десяток, если у вас не хватает денег, я доплачу, — предложил стоящий за ней Бартеньев.

Неизвестно почему, но Бартеньев растрогался. Все вдруг в этой барышне показалось ему удивительно милым: и завитки волос у основания шеи, и сам ее плавный изгиб, и тонкий, в меру, запах недорогих духов.

— Вы что?.. — удивилась она и невольно отстранилась. — Я похожа на женщину, не способную расплатиться?..

— Да ничего я не думаю. Просто я сегодня получил деньги, а вам не нужно будет лишний раз в магазин бегать, — совершенно искренне ответил Бартеньев и развернулся к продавщице, давая понять, что разговор окончен.

— Не надо так не надо...

Это позже он поймет, что она ни на кого не похожа. Разумеется, понятно, что большинство людей живет плохо. Но в его понятии до этого момента все разделялись на богатых, на нищих и на тех, кто кое-как сводит концы с концами. Но чтобы такая милая женщина... Как падают в обмороки врачи и педагоги, слышал по телевизору, и только. И вот увидел впервые. Ему стало до нехорошего жалко и обидно.

Два вечера Бартеньев простаивал под дверями магазина, ожидая ее. И только на третий смог подойти к вышедшей из магазина незнакомке. Чего он только не говорил, чтобы задержать ее, и ему это удалось.

Они больше часа проболтали на улице. За этой встречей последовала другая. Потом стали видеться чаще.

Ее комната в коммунальной квартире поразила уютом. Соседи поразили не меньше. Уже через полгода купил квартиру, в которой сейчас и сидел. Дарственную, с большим трудом, оформил позже. Трудности заключались в тайне сделки. Она бы ни за что не согласилась принять такой подарок. Сейчас документы на квартиру лежали в его ящике письменного стола. Туда, Бартеньев точно знал, эта женщина никогда не заглянет, если, конечно, ничего не случится. Она бы ни за что не согласилась принять такой дар. Пришлось разыграть полудетективную историю с внезапно умершим родственником, оставившим ему площадь. Бартеньев не вникал, как, кто и каким макаром провернул сделку, но в документах, которые ему принесли, прежний владелец действительно скончался.

Теперь единственное, что позволялось, так это приходить с продуктами и цветами. Так она и жила в его как бы пустующей квартире. Жила и не знала, что является ее хозяйкой...

Пудель вновь зарычал. Бартеньев открыл глаза. Он подарил эту постоянно рычащую тварь, чтобы хозяйке было нескучно и как напоминание. Однако пудель сам расширил свои полномочия, став настоящим хозяином квартиры.

Звонок в дверь заставил подняться, а через десять минут он уже получал разгон за испачканную плиту и невынесенный мусор.

Пришлось выносить.

— Привет, Сергеич, — услышал он голос соседа по лестничной площадке.

Тот шел из магазина с двумя большими пакетами, в один из которых тотчас же залез.

— Что не на работе? — протянул он Бартеньеву только что открытую бутылку пива, даже не спросив, будет ли тот пить.

Последнее воспринималось как само собой разумеющееся. Кто же отказывается от угощения, да еще с доставкой?

Никто, ни одна живая душа, включая милую блондинку, не знала, где, кем, когда и как он работал.

— Вечером пойду, — ответил Сергеич, отхлебнув несколько глотков. — С получки ставлю, — пообещал он.

— Ну-ну... — понимающе произнес сосед и, тоже отхлебнув, добавил: — Сейчас на полтора рубля в булочной надуть хотела. Вот стерва... Главное, все так быстро. Раз, раз... С вас пятнадцать рублей. Я думаю: что-то не так, всегда тринадцать пятьдесят плачу... Правда, сразу отдала, стерва. Это с каждого по рупь пейсят, сколько к вечеру наберется? Стерва.

— Может, просчиталась...

— Ага. Только в свой карман.

— А чего так, Егорыч, много хлеба покупаешь?

— Так выходит. Без хлеба вроде бы и не ел ничего. Вот еще килечки взял к пивку, колбаски, молочка, и стольника как не было... Что там наши правители думают. Ну скажи, как нам жить? Все дорожает и дорожает, а этот говорит, инфляция всего один процент. Ну что, нас с тобой совсем за дураков держат?

— А ты не знаешь, как вчера наши сыграли? — спросил Бартеньев, чтобы сменить тему разговора.

— Опять просрали. Уже и в хоккей играть разучились, — возмутился Егорыч и, припав к бутылке, допил до конца. — Нет, довели страну. Сам посуди... Ведь одно ворье вокруг. Вчера по телевизору показывали... Ладно, пойду. А то моя опять вопить будет...

— Ну спасибо за пиво, я твой должник. Заходи.

— Да ты что, Сергеич, что я, нищий, что ли. Забегу, — пообещал сосед и, подождав, пока Бартеньев допьет пиво, положил бутылки в сумку.

— Пока...

Не любил Бартеньев разговоров про ворье в стране. Не умеешь жить — сиди на пшенке. Смутное время кончится, но круги еще долго по воде расходиться будут. Он еще на тех волнах покачается.

Хозяйка уже сидела за столом. Все было нарезано, расставлено, над разлитыми по тарелкам щами поднимался пар.

— Ты где задержался? Остынет все.

— Не остынет, — успокоил гость, протягивая руку к запотевшему графину.

— Ну давай за встречу, — сказал он и с удовольствием выпил...

На часах, которые Бартеньев забыл снять, высветилось 15.55. Пора было вставать. На правой руке лежала голова хозяйки, которая так сладко спала, что не хотелось будить. Нет, подумал он, надо что-то менять. Хорошо еще, у нее работа такая.

Хозяйка преподавала английский в младших

классах гимназии, и днем у нее часто бывало свободное время.

Старшего он, считай, вырастил, от армии отмазал, захочет учиться, проблем не будет. На платное обучение конкурсов нет. Ну а младший тоже уже выше его. Да он и не думает бросать их. Квартиру оставит, дачу и машину тоже. Все это наживное... А вместо того, чтобы начинать здесь все сначала, может, махнуть куда-нибудь. Тем более тут покоя не будет, это ясно. Он пытался уже говорить с ней на эту тему, но она относилась к этому неопределенно, хотя и не отказывалась. Здесь ничего не держало, кроме понятия Родины, но такая жизнь и напоминания о себе бывшего мужа теоретически не исключали этой возможности. Последнее время он говорил ей об этом при каждой встрече.

Женщина открыла глаза и, улыбнувшись, поцеловала его.

— Опять о своей Норвегии думаешь? — спросила она, словно прочитав его мысли.

Он действительно считал, что уезжать нужно только в эту страну. Именно там можно жить тихо и спокойно. Синь озер и поросшие деревьями скалы вызывали у него чувство надежности.

— Ну давай помечтаем, — предложила она. — Только мне сейчас и здесь хорошо... А наших денег, даже если продадим твою квартиру, мою комнату со всей мебелью и твою машину в придачу, не хватит для этого.

— Ну а если отбросить деньги, то поехала бы?

— Думаю, да. Только лучше в Канаду. Природа

почти такая же, даже березы растут. Озер и скал хватает. А я так хочу пожить среди людей, говорящих по-английски, — вдруг призналась она и, поцеловав его еще раз, с грустью спросила: — Что, мечтатель, на работу пора?

Бартеньев неприятно сморщился. Он сказал ей, что пашет на терминале. Громадная материальная ответственность, а наши хмыри так и не научились правильно накладные и требования выписывать. Того и гляди, не то и не тому выпишешь, штамп шлепнешь, и все — мышка в мышеловке, — пришла налоговая полиция. И не своруешь, да сядешь ни за что ни про что. Хорошо еще, у них начальник честный, дотошный. Все сам проверяет. Пора, пора, милая...

Особо неприятны были для Бартеньва эти переключения. Это по Станиславскому все просто. Взял и вошел в предложенные обстоятельства. А каково почти шесть лет переключаться? Ни один переключатель не выдержит.

Бартеньев очень не любил героя Ильфа и Петрова господина Корейко, однако хорошо понимал.

«А это тоже вариант, Канада», — уже в который раз подумал Бартеньев за последний час, подъезжая к своему «Миражу»...

Наконец он появился, слегка помятый, но в прекрасном расположении духа, иначе нельзя. Подчиненные должны видеть не только озабоченность, но и голливудскую улыбку уверенного в себе человека.

— Привет, Палыч! Давно ждешь? Завтра Наталья на работу выходит, так что не придется больше вам под дверью ошиваться. Кофе пить будете? Как дела, как дети?

— Дети опять балуются, — ответил Сиривля, поднимая «дипломат».

— Быстро... — только сумел выговорить шеф, забыв от волнения, в какую сторону поворачивать ключ в замке.

— И слава богу... — выразил свое мнение Сергей Павлович, когда наконец открылась дверь и они вошли в кабинет.

Хозяин ничего не ответил на замечание начальника охраны и молчал до тех пор, пока, оказавшись в кресле за рабочим столом, немного не пришел в себя от новости.

— Понимаю, руки чешутся холку этому раздолбаю намылить... А не рано ли радуешься, Иван-царевич? — спросил он, открывая «дипломат». — И сколько же он просит на этот раз?

— Половину.

— Вот теперь твоя радость мне понятна... О! Смотри, ему опять интересно!.. Посмотрим, каково нам, — проговорил шеф, раскрывая конверт дрожащими от возбуждения руками.

Прочел, шевеля губами уже известный охраннику текст.

Шеф отложил записку и, стуча по столу вынутыми из «дипломата» ключами, пристально смотрел на стоящего напротив, о чем-то размышляя. Затем опять прочитал и наконец заговорил:

— Ну, как я понимаю, придется лезть тебе, Палыч, на крышу.

— Я уже вчера лазил, хорошее место... Пусть только он туда залезет... — плохо скрывая нетерпение, ответил Сиривля. — Уж его там встретят...

— Надеюсь, на крыше в голых задницах не затеряется, тем более у тебя, как он обещает, это последний шанс. Надеюсь, ты меня понимаешь?.. — спросил хозяин кабинета, открывая сейф и перекладывая в «дипломат» нужное количество пачек.

Сиривля понимал и все видел. Его не так пугали намеки шефа — пусть попетушится крутой Уокер, — сколько не нравились его действия, потому как вешать на себя еще двадцать пять тысяч баксов ни с какой стороны не грело. Наконец он не выдержал:

— За коим хреном опять настоящие понесем? Надо было еще в прошлый раз «куклы» зарядить. Я ведь говорил тогда, а вы опять...

— В прошлый раз я еще верил, что доверяю деньги не мудаку!..

А теперь никому не верю, кроме этого ловкача, а потому уверен, если он не получит свое, то станет требовать в два раза больше, — закричал шеф срывающимся голосом, опуская крышку «дипломата», и уже после того, как защелкнул замки, продолжил: — Если я не зря плачу тебе деньги, то мы больше этих записок читать не будем и баксы вернутся. На ключ в этот раз закрывать не будем...

Сиривля не стал возражать. Что зря языком молоть. Тем более в чем-то орущий хозяин был прав. Однако, несмотря на это, возникало большое желание дать шефу в зубы, чтоб не зарывался. И он, от греха подальше, ушел покурить в приемную, наблюдая на всякий случай за шефом через стекло стоящего напротив двери шкафа.

Телефонный звонок прозвучал в приемной неожиданно громко, молодой женский голос просил шефа к телефону, и тот, не мешкая, подошел, прикрыв по привычке дверь кабинета. Звонила какая-то подруга заболевшей секретарши с убедительной просьбой посмотреть в столе крайне необходимый ей журнал, который, однако, несмотря на все старания мужчин, так и не был найден. Напольные часы между тем пробили два часа.

— Буду здесь ждать звонка в шестнадцать тридцать. Сережа, я очень надеюсь, ты на этот раз меня с ним познакомишь, — вместо напутствия проговорил шеф.

— Я тоже, на этот раз он перехитрил сам себя, — ответил Сиривля и тут же пояснил: — Верх Экспоцентра — это не баня...

И в этом он убедился еще раз, когда вышел из чердачного окна на огромную площадку крыши. Подгоняемый порывистым ветром, Сиривля, внимательно осматриваясь, обошел всю крышу и, не заметив ничего подозрительного, поставил «дипломат» в центре. Крошечная фигурка снайпера застыла на крыше соседнего здания, и, когда он посмотрел в его сторону, рука парня чуть поднялась, сообщая, что с его стороны все готово. Сергей Павлович одобряюще кивнул и улыбнулся, зная, что тот в оптический прицел отлично видит его лицо.

Стрелок с противоположной стороны тоже был готов к работе.

«Интересно, на что он надеется», — подумал Сергей Павлович, еще раз с недоумением осматриваясь по сторонам, и посмотрел на часы. Время встречи приближалось. Через полчаса кто-то должен был прийти за деньгами, и он не спеша пошел к чердачной двери, то и дело оглядываясь на одиноко стоящий «дипломат» посреди огромной крыши.

Спустившись по лестнице на пару пролетов, где было значительно теплее, Сиривля еще раз обдумал предстоящие действия. Все шло согласно плану.

— Я Охотник, как слышите меня?.. Прием, — негромко спросил Сиривля, включив переговорное устройство.

— Первый на месте, объект вижу ясно.

— Второй на месте, объект вижу хорошо.

— Я — Третий, у лифтовой площадки чисто.

— Четвертый на месте, жду команды.

Подтвердили его ребята, что связь работает и все на местах.

— Время пошло, парни. Смотрите в оба. Докладывать обстановку каждые три минуты.

Сиривля еще раз посмотрел на часы, достал пистолет и, дослав патрон в ствол, начал ждать. С этой минуты от него уже ничего не зависело. Он свое дело сделал, передав эстафету ребятам. В них он не сомневался, только бы этот обормот появился. Но его-то и не было, а стрелки неумолимо уменьшали шансы на встречу.

— Я — Первый. Все спокойно. Объект вижу ясно.

— Я — Второй. Все спокойно, — уже в который раз раздавались голоса ожидающих снайперов.

Время связи с шефом давно прошло, а руководитель операции все ждал, не решаясь прекратить ее. И тем не менее пришлось это делать.

Сергей Павлович снова поднялся на крышу и, подойдя к «дипломату», услышал ему уже ясное:

—Охотник, я — Первый. Он не пришел.

Второй снайпер доложил о том же.

— Всем отбой. Конец связи, — распорядился он, расстроенный.

Уйти не было никаких сил, и он, закурив сигарету, сел рядом с этим злополучным «дипломатом», отрешенно глядя на него.

«Почему же он не пришел»? — спрашивал себя Сиривля и не находил ответа... — Что-то вспугнуло его или баксы стали не нужны?.. Нет, деньги всегда нужны, тем более такие... Что ж, будем искать и ждать нового предложения...

Однако уже давно пора звонить шефу.

Сергей Павлович подвинул к себе «дипломат», встал и, встряхнув его, услышал шум потревоженных пачек.

— Хорошо, что хоть на этот раз все цело, — удовлетворенно подумал он и щелкнул замками.

На дне «дипломата», сбившись в кучу, лежали аккуратно перевязанные пачки газетной бумаги.

— Да что же это такое? — только и смог вымолвить Сиривля и опустился задницей на холодную поверхность крыши...

Поднявшиеся ребята помогли ему встать и спуститься в машину. Уже по дороге он набрал номер шефа...

Телефонный звонок Сергея Павловича застал его хозяина спокойно разгадывающим кроссворд. Он уже почти час ждал звонка и, понимая, что задержка не случайна, обдумывал возможные причины повторной неудачи. Он, в отличие от начальника охраны, не стал радоваться месту встречи. Такое неординарное решение скорее походило на насмешку над ними, и это, как и все с самого начала, больно ударило по самолюбию, заставив еще раз хорошо над всем задуматься...

Интересная мысль родилась совершенно случайно, и теперь он с нетерпением ждал ее подтверждения.

— Я так и думал, Сережа... Приезжай, не там ищешь... — спокойно ответил шеф, выслушав сбивчивый рассказ вконец расстроенного начальника охраны.

Все получилось, как он и предполагал, согласно его новой идее. Оставалось выйти в коридор, вызвать по сотовому пару охранников и ждать, что он и сделал...

Илья осторожно приоткрыл дверь и выглянул в коридор, легкий полумрак и тишина которого сообщили ему, что все спокойно. Прижимая «дипломат» к туловищу локтем одной руки, он прикрыл ею дверь, а свободной закрыл ее на ключ. Коридор был по-прежнему пуст.

Орел, облегченно вздохнув, перехватил ношу свободной рукой и быстро прошел прочь от кабинета.

Пройдя несколько метров по прямой, он резко свернул за угол «к музыкалке» и замер — в нескольких шагах перед ним стоял Бартеньев с охранниками и улыбался довольной улыбкой.

— Ай-ай-ай... Ну пошли, артист, пообщаемся...

## ГЛАВА 15

Вечер уже был в самом разгаре, когда Никита вошел в фойе ночного клуба. Охрана приветствовала его, как старого знакомого, а швейцар отвесил такой поклон, каким встречал далеко не каждого и завсегдатая. Основной поток посетителей уже миновал это место, и теперь здесь крутились в основном опаздывающие, среди которых он заметил несколько молодых накачанных ребят.

«Что-то много сегодня здесь «бычков» пасется, вероятно важные гости пожаловали», — подумал, снимая плащ, гость и вошел в зал.

Свободных столиков не было видно, но служебный перед эстрадой был свободен. Там Никита и расположился. Заказав свой обычный вариант, он отдыхал от прошедшего дня, лениво оглядывая присутствующих в зале. На эстраде певичка, лет на пять постарше Ильи, прыгая по площадке, тщетно пыталась расшевелить скучающую публику — танцующих было мало.

«Да, народ завести — тоже искусство», — вспомнив вчерашний вечер, подумал Орел о своем сыне.

Сегодня он решил пригласить Илью к себе домой, пусть и бабка порадуется. Все сегодняшнее утро только о нем и разговоров было. Даже на работу пару раз звонила. Оно и понятно, столько лет внука не видела, может, теперь и жить станет веселее. Да и он немного от ее опеки отдохнет. Не плохо было бы... Подошедший официант, поставив графинчик и закуску, удалился. Однако отец решил не начинать, не дождавшись сына, тем более решил сделать подарок по случаю встречи. В кармане пиджака лежали часы, купленные сегодня днем. Часы в наше время уже не модные, но когда-то пользующиеся неплохой репутацией у иностранцев, не говоря уже о местной публике. В магазине, куда зашел Никита, выбор часов был впечатляющий, и все же отец выбрал эти, хотя и несколько устаревшие, так как считал их по-настоящему мужским подарком. «Адмиральские» — было написано на циферблате над рассекающим волны ракетным крейсером на фоне бело-голубого Андреевского флага.

Скажи ему кто пару недель назад, что он будет делать подарки с такой символикой, поднял бы того юмориста на смех, а сейчас фраза «Большому кораблю — большое плавание» не вызывала у него улыбки, так как именно это он хотел пожелать своему несомненно талантливому сыну.

Между тем вечер продолжался и все шло своим чередом, а Ильи не было. Никита со скучающим видом курил и смотрел по сторонам, хотя происходящее его нисколько не интересовало. Ни пить, ни есть не хотелось. Смутная тревога за сына начала появляться в его душе, когда на эстраду после перерыва вновь выскочила певичка. С этого момента все мысли были заняты только отсутствием Ильи. Он смотрел на поющую девушку, пытаясь объяснить причину ее повторного появления.

«А это, что за рожа за мной наблюдает»? — спросил сам себя Орел, когда почувствовал на себе чей-то заинтересованный взгляд. Быстро повернув голову, он встретился глазами с немигающим взглядом Сиривли. «Хорош дядя... Такому, как говорится, кистень в руки да на большую дорогу. А что это он так на меня уставился? Может, просто так, потому что я за служебным столиком сижу, а может, Славик старается? Нет, чтобы не было этих всяких «может», лучше проверить».

— Привет, папочка, — поздоровалась с ним Дина, присаживаясь напротив. — А где Илья?

— Сам не знаю. Эта, — Никита кивнул в сторону эстрады, — уже третий раз петь выходит.

— Странно, — заметила Дина, посмотрев на часы, — обычно к этому часу он уже пару раз появиться должен.

— Знаешь что, ты посиди одна, а я начальство, пожалуй, поищу, узнаю, в чем дело. Он же сам говорил нам, если что — не церемониться, — улыбнулся Никита и быстро удалился.

Между тем хозяин разговаривал в своем кабинете с двумя ребятами из охраны. Один из них был мужчина лет под сорок, которого все называли не иначе как Комиссаром. Походка, манера говорить и слушать, а особенно выпрямляться перед начальством выдавали в нем военного. Так оно и было. Майора, бывшего замполита полка, когда часть отказалась штурмовать Белый дом, уволили из армии. После трех лет скитаний по охранным службам он познакомился с Бартеньевым и так оказался в клубе. Другой — значительно моложе. Бывший спортсмен, Руслан появился здесь вместе с Сиривлей. Уважительный и исполнительный, особенно с начальством, красавец великан быстро освоился и стал любимцем не только руководства, но и всего коллектива.

— Ну что, мужики, буду короток. Мы засветились с нашими аттракционами, к тому же нас развели на кругленькую сумму, — начал Бартеньев, наблюдая за реакцией подчиненных. — Подробности вам пока знать ни к чему. Наш заслуженный Сергей Павлович оказался раздолбаем, который все прокакал, а теперь, как я понимаю, смылся. Вы подумайте, как этого чемпиона затащить сюда. Я тоже над этим подумаю, но в ближайшие дни это надо сделать и надрать ему задницу. И еще...

Здесь Вячеслав Сергеевич сделал паузу и задумался. Надо было назначить преемника Сиривле. Перед ним сидели двое, которые в данной ситуации подходили на эту должность. Потом, когда все устоится, сформируется новая охранная служба, со своим, может быть, и другим лидером. Сегодня чужаки не годились. Предстояло выбрать между этими. По опыту и возрасту подходил больше, конечно, майор, но уж очень много было в нем совковости.

С Сиривлей этого нахлебались, но тот хоть что-то из себя представлял. Молодая в основном охрана, разумеется, лучше воспримет назначение любимца публики. А раз так, то и недовольных будет меньше.

И это сейчас было самым главным. Да и куда этот майор денется. Он и так должен по гроб жизни быть благодарен, что не на посту в каморке с собакой сидит, а видит приличных людей. Так тому и быть...

— И еще, — повторил Бартеньев, — вместо этого засранца Сиривли ты, Руслан, руководи пока охраной, а Комиссар поможет тебе. Ребята, я на вас очень надеюсь... Возьмите девчонку артиста и вместе с ним отвезите на квартиру. До завтра ничего не предпринимайте. Я сам с ними сначала поговорю... Она сейчас в зале. Ты, Руслан, ее, конечно, знаешь?

— Да видел, ничего девчонка. Все сделаем, Вячеслав Сергеевич, не волнуйтесь, — довольный оказанным доверием заверил парень.

— Прямо как твой бывший начальник отвечаешь. Ну, надеюсь, что ты окажешься умнее. Действуй, как договорились. Только я тебя попрошу: проверни все сам лично, а потом возвращайся...

Орел не спеша наполнил рюмку, кивнул певичке, давая понять, что пьет за ее успех, и резко обернулся — этот уже немолодой детина следил за ним... Попытка увидеть хозяина и в лоб спросить, что это за тип, а заодно и узнать про сына, не удалась: Бартеньева в зале не было.

И не могло быть, так как в это время он сидел в своем кабинете и беседовал с сидящим напротив Ильей.

— Так что же ты, глупый узкожопый мальчишка, решил, что умнее, хитрее, везучее?.. Думаешь, один детективы читаешь?.. Знаешь, я кое-что придумал и уверен, получится. Мы повеселимся сегодня на славу, можешь мне поверить. Сегодня Акелла промахнется...

Бартеньев попытался встать, но сильная резь в паху тотчас заставила его вернуться в кресло — сидя боль переносилась значительно легче. Вячеслав Сергеевич невольно посмотрел на армейские ботинки парня.

Черт бы побрал эту моду с ее «гриндерами»... Разве мог он предположить, когда отпустил охранников, чтобы их никто не слушал, что этот сопляк драться полезет, подумал он, вытирая кровь, сочившуюся из разбитой губы, а затем посмотрел на испачканный платок и негромко начал:

— И мальчики кровавые в глазах... И мальчики! И девочки!

— И тетеньки... — зло усмехнулся молодой человек. — Тебе уже никакой сексопатолог не поможет...

Возмущение от такой наглости пересилило боль. Он вскочил, замахнулся, но в последний момент сумел сдержать себя.

— Чего же ты так боишься-то? Господи... Закрой глаза, если уж страшно.

— Бить будешь или в окно выбросишь? — спросил Илья, но, увидев, что тот опустил руку, снисходительно добавил: — Психическая атака, ей-богу...

Избиение не входило в планы Бартеньева. Это было бы слишком просто. Да к тому же он прекрасно понимал, что и нападение, и последующая дерзость — все это бравада, вызванная страхом перед жестоким наказанием и его неотвратимостью. Пусть для начала этот понимающий, что слишком много знает, да к тому же сильно напроказничавший мальчишка помучается неизвестностью и сам порисует в своем воображении страшные картинки, а уж потом они станут явью.

— Чего же ты так боишься? — повторил вопрос Вячеслав Сергеевич. — Раньше бояться надо было. Когда за часами сидел, не боялся, а сейчас дрожишь... Ну да ладно. Давай продолжим сеанс размышления... Сосредоточься на главном! Кто тебе помогал из наших?

— Я сам все делал, — не раздумывая, ответил парень.

— Не ври старшим. Кто тебе, засранцу, ключи от моего кабинета выдал бы? Как дубликат появился? — возмущенно спросил хозяин, покрутив перед носом юноши отобранными ключами. — Скажешь, про всех скажешь...

— Говорю же тебе, я сам все делал, — повторил Илья.

— Значит, сам про все пронюхал, сам придумал, сам и исполнил. Один... И по телефону сам со мной разговаривал. Вот по этому сотовому, — закричал Бартеньев и, схватив со стола телефон, с силой запустил им в стенку, едва не задев голову парня. — Значит, один... Слушай, раз ты такой благородный, почему такой жадный? Недели не прошло, как опять полез. Думаешь, я бездонная бочка. Нет, парень, молчи, сколько хочешь, но влип ты здорово...

— Да я и не молчу. Секретарша твоя выходит

скоро. — Что же я, вас к ее телефону вызывать бы стал? Неужели не ясно... — ответил Илья вдруг задрожавшим голосом, шмыгая носом.

— Ну слава богу, заговорил. Ты, наверно, еще что-то сказать хочешь? — спросил Вячеслав Сергеевич, увидев выступившие на глазах молодого человека слезы. — Плачешь? Сопляк!

— Кто? Кто плачет? Какое вам дело до моих соплей? Вы ничего не понимаете в медицине, а говорите... Это неделикатно.

— Он еще и издевается! — зло усмехнулся Бартеньев и схватил Илью за ширинку. — Скажешь, сучонок, с кем ты это проворачивал? Яйца с корнем вырву...

— Правильно... Я вам только отбил, а вы... — попытался держать марку Илья. — Ой!.. Нельзя спички трогать. Ой-ой!..

Звук открываемой двери в приемную невольно заставил Бартеньева отпустить парня. Свидетели их разговора, тем более проходящего в такой форме, были ему совсем некстати. Заведение должно работать, и всякие ненужные разговоры, что кабинет хозяина превращен последним в камеру пыток, не могли улучшить атмосферу в коллективе.

Когда открылась дверь и появившийся в ней Орел вошел в кабинет, он увидел развалившегося за столом хозяина, перед которым согнувшись сидел Илья.

— Проходите, какие люди к нам пожаловали, милости просим, — поприветствовал гостя, пытаясь улыбнуться, Бартеньев.

— Илья, почему ты здесь, а не в зале? — спросил Никита, не обращая внимания на приветствие.

Молодой человек, услышав голос, поднял голову и радостно посмотрел на вошедшего полными слез глазами. Никогда в жизни он так никому не радовался, как сейчас. Теперь он был не один и не испытывал страха ни перед своим всемогущим шефом, ни перед вдруг появившимися за спиной отца двумя охранниками.

— Да вот устраняю пробелы в воспитании твоего, Никита, сына, — поспешил ответить Вячеслав Сергеевич и хозяйским жестом остановил парней из команды Сиривли, схвативших было Орла под руки. — Спокойно, ребята... Он сам пришел. Сам! Какие майоры пошли, а? Только вот дурачков рожают. Потому что по пьянке. Выпить любят... Вы, ребята, подождите в коридоре, если что, я вам моргну...

Едва за вышедшими закрылась дверь, Бартеньев достал бутылку коньяку и две рюмки, жестом пригласил гостя сесть и разлил коньяк.

— Хочу тебе пожаловаться, Никитушка, на твоего отпрыска. Представляешь, шантажировать меня вздумал. Да мало того, поначалу пощипал малость. Какова молодежь! А? К тебе претензий не имею, ты его, считай, не воспитывал, а мать, видно, не научила, что такими делами заниматься нельзя. Вот теперь ломаю голову. Не знаю, что делать... Вроде бы обещал парню помочь раскрутиться, а он так нехорошо со мной поступил... Само собой разумеется, он нам все вернет, выпорем, сам понимаешь, есть за что, а вот как дальше быть, ума не приложу...

Никита, не перебивая, слушал упивающегося своим монологом хозяина. Ситуация складывалась не из простых. Был бы один, тогда еще куда ни шло, но Илья...

— Чего загрустил, служивый? За сына стыдно? Понимаю... Ладно. Давай сначала выпьем, закусим конфетками, а потом продолжим. Или тебе, может, вместо сладкого банку баклажанов принести? — продолжил после небольшой паузы хозяин.

И сочувствие в голосе, и искренность, но, увидев привставшего гостя, грозно приказал:

— Сидеть!

Некоторое время молчали. Один — ошарашенный приказом, другой — наблюдая за реакцией на нее, третий, ребенок, потому что его ни о чем не спрашивали.

— Вот и хорошо... За знакомство, — спокойно и ласково произнес Бартеньев, поднимая свою рюмку, и, когда выпили, так же продолжил: — Что ж мы пришли? Лажануться?

— Чего раздухарился? — коротко спросил Никита.

— Молчать, сука! На «вы» со мной! На «вы». Понял?..

— Пошли, Илья, домой! — спокойно предложил Никита, подойдя к сыну, не обращая на орущего хозяина внимания.

Илья в знак согласия кивнул головой и медленно поднялся, но из-за боли полностью выпрямиться не смог. Отец подбадривающе похлопал по плечу сына и, подтолкнув к двери, шагнул к хозяину. Мощный апперкот в подбородок левой с ходу заставил сидящего в кресле вытянуться, а крюк правой — завалиться на пол. Наступившую тишину нарушил голос сына:

— Вау! Никогда больше не сердите моего папу!

К вышедшему первым в коридор Никите бросилось сразу трое охранников. Узость помещения была на руку майору, и он несколько минут продержался, пока не пропустил удар рукоятью пистолета по голове и уже не смог оказывать сопротивления. В голове задрожало кровавое марево.

Оставшись одна, Дина, глубоко затягиваясь сигаретой, смотрела на эстраду, где опять появившаяся певица затянула грустную песню о неразделенной любви. Промелькнула было мысль уйти домой. В конце концов она понимала, что отцу с сыном сейчас не до нее, и только факт отсутствия Ильи без предупреждения задевал самолюбие. Она уже вставала из-за стола, когда подошедший молодой человек передал ей просьбу Орла подняться в кабинет хозяина и любезно вызвался проводить.

— Привет, красавица! — поздоровался сидящий за столом хозяина охранник с вошедшей девушкой.

К удивлению Дины, парень оказался в помещении один. Он распечатал бутылку коньяку.

— Садись. Выпей-ка, пока твои подойдут.

— Почему должна с тобой пить? — удивленно спросила Дина, присаживаясь в кресло.

— А чего ты ломаешься-то. Тебе же не бормотуху предлагают, а хороший коньяк, так что пей и не капризничай, — встал из-за стола охранник и начал выливать жидкость обратно в бутылку. — Не хочешь из бокала, так можно прямо из бутылки, так даже удобнее.

— Ты что, с ума сошел? — почувствовав что-то неладное, возмутилась девушка, но тут же захрипела...

Сильные пальцы пришедшего с ней парня, схватившие сзади голову, разжали зубы, и он с явным удовольствием, протолкнув между зубами горлышко, стал выливать содержимое. Рот моментально обожгло и перехватило дыхание, зубы бились о стекло бутылки, но, несмотря на кашель, коньяк продолжал литься внутрь.

— Вот же стерва! Сама облилась, и я весь мокрый. Ну ничего, завтра же отработаешь по полной программе...

## ГЛАВА 16

Еще вчера, когда майор впервые явился в отдел с замазанным синяком и знакомым всякому употребляющему человеку утренним запашком, да что там говорить — запашищем, Павлюченко ощутил внутренний дискомфорт. Всякое бывает. Бывало и у них, но все как-то вместе, по особому случаю и уж никак втихаря сам на сам. Такого за Орлом не водилось. Видно, так приперло Никиту, что дальше некуда.

Все попытки навести мосты, узнать правду разбивались об упрямое молчание майора. Что ж, не хочет говорить — дело хозяйское. Но капитан помнил, как в прошлом году по окончании операции со спиртом, когда все ждали повышения по службе или на крайность «тринадцатую зарплату» (так по старинке называли маленькое денежное вознаграждение, которое получали сотрудники по окончании операции, порой приносящей в бюджет государства сотни, а то и миллионы долларов), а вместо того получили кукиш и нагоняй за уничтоженный конфискат (тогда взорвали спиртзавод с кучей готовой продукции), скинулись, кто сколько мог, и завалились в заведение. Так вот, подпив изрядно, майор вызвал в курилку капитана и, обняв, принялся уговаривать:

— Ты, Павлюченко, странный мужик. Нет, ты пойми меня правильно, мужик ты хороший, но неразумный.

— Чем же не угодил, начальник? — спрашивал тогда он.

— Дело прошлое, но ты ж в операции с Клавой был...

— Был...

— И целую ночь.

— Целую ночь.

— И ничего?

— Ничего.

— Ну, ты — железный человек. Чекист.

— Она ж только прикрытием была. Не мог я воспользоваться положением.

— Дурак ты.

— Не мог я служебным положением воспользоваться.

— Да что ты все гугнишь «не мог, не мог». А сейчас можешь?

— Не знаю, — честно признался тогда капитан.

— Вот я тебе и приказываю... Хватит тут с нами валандаться. Держи... — майор достал две сотенные бумажки и честно поделил их поровну — одну себе, одну капитану. — Свои-то имеются?

— Есть немного.

— Слушай приказ... Купи цветов, шоколада, бутылку и дуй до своей Клавы. Завтра раньше обеда не появляйся... И чтоб все было, как надо. Она ж баба-то хорошая.

— Хорошая, — согласился Павлюченко. — Ну, я пошел?

— Иди. Я мужикам наплету.

И попал Павлюченко в тот вечер в знакомый уже по минувшему делу домик. И встретила его Клавдия удивленно-радостно. И полились у нее слезы... А потом был ужин с астраханской селедочкой из сорокового, что осталась у нее еще с того памятного вечера, когда выполняла она боевое задание по прикрытию капитана Павлюченко в качестве сожительницы.

А вчера Павлюченко заявился домой смурной. Пощипал со стола, от чекушки отказался и вышел перекуривать на воздуся.

Чуть погодя вышла и Клава. Постояли. Помолчали.

— Что случилось? Или новое дело с другим «прикрытием»? — тревожно спросила она.

— У тебя, Клавдия, одно на уме.

— Тогда рассказывай.

— А нечего рассказывать. Одни домыслы. С майором нашим что-то творится. Не пойму. По-моему, влезает он куда-то по уши, а помощи не просит. Гордый.

— А ты в помощники не напрашивайся. Ты сам. Уши держи плотно открытыми, глаза широко зажмуренными, сразу допрешь, в чем дело. У вас бабы в отделе есть?

— Есть, — удивился вопросу Павлюченко.

— Вот они уж наверняка все разнюхали.

— Не может быть.

— А я говорю, может. Жалко майора. Человек хороший.

— Хороший, — согласился капитан.

Но для Павлюченко майор был хорошим по-своему, по-особому, по-служебному и человеческому, а для Клавы только по-человеческому, ибо три месяца назад, не выдержав более, явилась она к майору в учреждение и пала на колени и взвыла, что не может она жить без его подчиненного Павлюченко, и все тут. Рассказала про жизнь свою детдомовскую, про училище торговое, про первого завмага, который преследовал ее с первого дня и подводил под статью, если откажет, про первое замужество и веселого мужа, которого сбила машина по веселой пьянке, и про Павлюченко, который намертво ей запал.

Ничего этого не было известно капитану. Он помнил только сто рублей, которые майор одолжил ему полгода назад. И сейчас, разгибая затекшие в «Волге» ноги, он попросился по нужде, и тот его отпустил.

А идти было некуда, кроме как в клуб «Мираж».

Слежка шла своим чередом.

## ГЛАВА 17

«Волга» Павлюченко уже второй вечер подряд стояла около ночного клуба «Мираж». В ней, как и накануне, находились двое, только на этот раз рядом с водителем сидела Калинина.

Разговаривали мало, да и то в основном говорила Ольга. Обычной непринужденности в разговоре двух коллег не было. Все дело в том, что Павлюченко увидел своего шефа в обществе молоденькой девицы и сделал свои выводы. До Ольги ж давно дошли носящиеся в Управлении слухи о какой-то врачихе, и похоже, это было серьезно. Теперь же получалось, что она как бы выпасала его, да еще в таком заведении.

В предыдущую ночь Павлюченко с Русановым уехали отсюда далеко за полночь, а рано утром были уже на работе. Просто не любил человек бесполезную трату времени, и все тут. Приказ есть приказ, и его необходимо выполнять. Это Иван прекрасно понимал всегда, стараясь выполнить порученное как можно лучше. Другое дело, что Павлюченко, как человек влюбленный в свое дело, не мог выполнять заданий, не вникая в суть дела. Поэтому все приказы разделял по своему усмотрению — на умные и не очень. Первые Иван выполнял с прекрасным расположением духа, вторые были ему в тягость. Настоящее дело ему не нравилось. Еще утром они с Дмитрием, доложив Платонову о вчерашних наблюдениях, выразили свое понимание происходящего. Доклад нашел полную поддержку, тем более что Орел вышел на работу в приподнятом настроении, явно довольный своей жизнью. Однако одно дело было доложить об увиденном мужику — оценили, посмеялись, пожелали... и по обоюдному согласию поставили точку. Другое дело — огорчить рассказом женщину, которой по-настоящему желаешь добра. Словом, решили, учитывая частный характер наблюдения, ничего Ольге не рассказывать и еще немного подождать. Пусть сама подежурит, сама увидит, сама сделает выводы.

И все было бы хорошо для Ивана, если бы к концу дня Платонова не вызвал сам Дед. Вот почему ему пришлось срочно ломать свои планы и второй вечер подряд пасти начальника.

— Ерундой мы какой-то занимаемся, ей-богу! Ну сама подумай, что толку здесь сидеть и пялиться на его машину...

— Хорошо, Ваня, ты можешь предложить что-то более действенное?

Хозяин машины хотел было что-то ответить, но, вспомнив о прошлой прогулке Никиты с девушкой, промолчал. Именно еще один такой же выход сразу бы прояснил Ольге положение дел. Иван, тяжело вздохнув, согласился ждать, надеясь, что прогулки под луной стали традицией этой пары. Однако время шло, а гуляющих не было видно.

Прошел еще час ожидания. Стало очевидным, что чудес не бывает, и Павлюченко решился показать Ольге все в другой обстановке.

— Не знаю, но сидеть вот так уже никаких сил не хватает, — запоздало ответил он на Ольгин вопрос и предложил: — Слушай, давай его спровоцируем?

— Что ты имеешь в виду? — поежившись, спросила Ольга.

Бензин экономили и печку не включали, потому оба мерзли, а на носу Ивана всякий раз упорно набухала мутная капля. Он украдкой смахивал ее. Наконец Ольга заметила и подала ему свой платок. Иван чувствовал себя виноватым за Орла. Эдакая девка по нему сохнет. Нет, Наташа ему тоже нравилась. Только вот сумеет ли гражданская понять их, почти военных. Одна много лет назад специфики не выдержала и ушла. А тут своя в доску, сама служит. Ей ли не понять? Эх, Орел, Орел... От добра добра не ищут. Впрочем, зачем лезть в чужую душу?..

— Я почти уверен, что нашу слежку он давно заметил. Если ему только захочется, легко от нас оторвется, тем более за углом есть служебный вход в заведение. Подожди, не перебивай!.. Давай войдем сейчас в клуб и посмотрим, чем он там занимается, а заодно и на его реакцию.

— А если мы этим его подставим? — с сомнением и тревогой спросила Ольга. — Недаром же он здесь копает, чует мое сердце.

— Подставим?.. Ну-ну... — посмотрел на нее сочувствующим взглядом Иван. — Смотри...

Некоторое время сидели молча. Каждый думал о своем.

Наконец Калинина решилась и, посмотрев на часы, хмуро согласилась:

— Ладно. Еще десять минут, и пойдем...

Павлюченко ткнул остаток сигареты в пепельницу и удовлетворенно улыбнулся. Конечно, лучше бы Ольга их увидела из окна машины, но раз так не получается, пусть произойдет это в самом клубе. Только бы побыстрее, что резину тянуть... Не станет же капитан, в самом деле, устраивать разборки с соперницей. Тем более рюмка коньяку ему и чашечка горячего кофе даме сейчас ой как кстати.

— Смотри, Платонов с кем-то подъехал, — сообщила Калинина, увидев мигающие фары знакомой машины. — Что делать будем?

— Что наметили, то и будем. Теперь пусть они ведут наружное наблюдение. Не мне же одному... дурью маяться, — чуть было не сказал Иван, но в последний момент поправился: — Этим заниматься.

— Я думаю, ты прав. К тому же было бы просто жестоко лишать тебя возможности согреться, — согласилась Калинина, еще, видно, не забыв довольную улыбку товарища при ее согласии.

Она достала из сумочки телефон и набрала номер:

— Платонов, привет, мы вас видим. Ты с кем? Сейчас с Иваном пойдем в клуб. Посмотрите на всякий случай за стоянкой. Если Никите как-то удастся нас провести, сядьте ему на хвост... С тобой все в порядке? Спасибо, и тебе удачи.

Ольга убрала телефон и вышла из машины.

— Он с Калинкиным и Русановым... Какие-то вы, мужики, сегодня заторможенные... — заметила она, беря под руку своего спутника.

— Будешь здесь заторможенным... Замороженным, — пробурчал в ответ Павлюченко.

За их спинами крутились в основном немногочисленные опаздывающие, когда они оказались перед зеркалом в фойе клуба.

— Вань, посмотри-ка на меня, все в порядке?

Павлюченко удивленно вскинул брови, видимо не совсем понимая, что от него хотят. Потом неторопливо обошел свою спутницу, придирчиво рассматривая ее. Затем еще раз посмотрел на нее в зеркало и удовлетворенно отметил:

— Извини, капитан, я часто забываю, что ты не только напарник, но и женщина. Не волнуйся. Выглядишь просто здорово!

Скрывать удовольствие от услышанного Ольга не собиралась.

— Если бы все так считали... Но все равно — спасибо.

Вечер был в полном разгаре, однако им повезло... Прошло совсем немного времени, а они уже, уютно расположившись, оглядывали зал. Полумрак помещения не позволил сразу разглядеть посетителей, и только сейчас они смогли с уверенностью сказать, что Никиты в зале не было... Однако признаваться в этом не хотелось. А главное — уходить из тепла, которое сделало свое дело — оба расслабились.

И все-таки кому-то надо выяснять. Огорченный

Павлюченко, молча встав из-за стола, покинул зал, однако вскоре вернулся еще более расстроенный.

— Я обошел весь клуб. В гардеробе плаща не видно. В туалете нет. У хозяина он быть не может Тот, как мне сказали, час назад отъехал. На улице тоже нет, — не то размышляя, не то докладывая, сообщил Павлюченко. — По-моему, его здесь вообще нет.

— Похоже... Если бы он действительно в туалет отлучился, то уже десять раз вернулся бы. На улице его Платонов заметит, да и что ему там делать, не май на дворе, — высказала свои соображения Ольга. — Но мы же видели, как он сюда входил...

— Лично я это видел своими глазами, — подтвердил Иван.

Он снова оглядел зал, пытаясь найти среди гостей вчерашнюю спутницу Никиты. Такой девушки, какой он ее помнил, не было ни за столиками, ни среди танцующих. На эстраду вышла певица и затянула старинный русский романс в современной обработке. Честно говоря, с ее голосом можно было бы выкрикивать речевки, и то с большим натягом через хороший усилитель.

— Может быть, здесь еще помещения есть? Ну, где в покер играют или что-то подобное? — предположил Павлюченко.

Лицо Ольги мгновенно прояснело — мысль понравилась. Она кивком головы подозвала к столику официанта и заговорщически спросила, обводя рукой зал с эстрадой:

— Послушайте, у вас тут есть еще что-нибудь, кроме этого?

— А чего бы вам хотелось?

— Ну, где можно сыграть в карты или заняться чем-то другим в этом роде?

— Простите, — с сожалением пожал плечами официант, — но у нас же не игорный клуб.

— Что ж, извините, я понимаю, — смешалась Калинина, всем своим видом давая понять, как глубоко разочарована услышанным.

— Слушай, ты же оперативник... Какого хрена ведешь себя, как ханты-мансийская девушка на каникулах?

— А что? Что я сделала?

— Станиславского надо читать. Тебе предложены обстоятельства. Ты — дама полусвета. Такие развлечения для нее пресны. Ей хочется чего-то острого, перченого. Рулетку, ставки, мужика, в конце концов, — ляпнул Иван и осекся.

Ольга покраснела на последних словах.

— Неужели он нас все-таки скинул, — озабоченно проскочил тему напарник и, достав мобильный телефон, набрал номер. — Привет, вы на месте? И никуда не отходили?.. Да нет его здесь. Ладно, продолжайте наблюдение...

— Тишина? — на всякий случай спросила Ольга, хотя из разговора и так все поняла.

— Тише некуда... — чуть слышно ответил Павлюченко. — Действительно, капитан, что-то здесь не так... Незачем ему от нас бегать, да еще бросая машину.

— Погоди, погоди... — внезапно прервала его Ольга. — Это же наш старый знакомый! Смотри-ка ты, в огне не горит и в воде не тонет. То-то мне он показался знакомым, когда материал о клубе смотрели. Да и немудрено не узнать с такой прической и без усов.

Иван, обернувшись, увидел Макса. Главный менеджер шел по залу, приближаясь к ним по-хозяйски вальяжно, приветствовал многочисленных знакомых и расточал улыбки. Такой же чести, по инерции, были удостоены и гости из налоговой полиции, но уже секунду спустя он вспомнил, где встречал эти лица. Улыбка моментально исчезла с лица. Макс, чуть не сбив официанта с подносом, торопливо, почти бегом направился к входу в служебные помещения.

— Что за тип? — вопросительно кивнул головой Павлюченко.

— Да мы с Русановым над их лавочкой в свое время работали. Как-то странно на меня среагировал... Такие, как он, обычно, раз уж встретились, не убегают, а, наоборот, расшаркиваются... По-моему, есть смысл с ним пообщаться. Может, Никиту помнит? Не думаю, что он просто так рванул, как заяц. Чего-то же испугался...

— Да уж... Видно, мужику есть чего опасаться, — согласился Иван. — Что, будем светиться?

— Нет, как бы Никите обедню не испортить, — раздумывая, ответила она и, решившись, предложила: — Давай разойдемся. Я буду его ждать с Платоновым у служебного входа, а ты с Калинкиным и Русановым присматривай у парадного. Идет?

— Давай попробуем, — согласился Павлюченко, подзывая официанта.

Ольга уже связывалась с теми, кто был на улице.

## ГЛАВА 18

За стенами клуба было морозно и ветрено. Несмотря на наступление весны, мела по-настоящему февральская поземка, гоняя по сухому асфальту проезжей части только что выпавший мелкий снег.

Улица выглядела привычно для этого времени. Одинокие прохожие спешили под родные крыши, стремясь окунуться в привычное тепло и уют. Уже редкие в такой час машины проскакивали мимо клуба с явно завышенной скоростью. И только пара владельцев собак никуда не спешила, прогуливаясь по противоположному тротуару, чуть приотстав от своих четвероногих питомцев. Те, под стать хозяевам, гордо несли свои перекормленные тела.

У одного из автомобилей, припаркованных напротив клубной стоянки, вспыхнули и сразу погасли сдвоенные фары «шестерки». Владелец машины давал понять, что желает пообщаться с вышедшей из клуба парой. Однако приняла приглашение только женщина, мужчина же отправился к своей машине на клубной стоянке.

— Привет, ребята, никто не выходил в последние десять минут? — спросила Ольга, опускаясь на заднее сиденье.

— Да нет. Одна парочка выскочила, но уж слишком молодые и увлеченные друг другом, — ответил сидевший рядом с водителем Калинкин.

— Ну вот и чудненько, — с облегчением произнесла Ольга. — Дима с Женей, давайте в машину к Павлюченко, а мы с тобой, Николай, сейчас за угол направо завернем. Там у служебного входа одного моего знакомого подождем.

— Как скажешь, капитан. За угол так за угол, — ответил Платонов, включив двигатель, как только коллеги покинули машину.

Пару минут спустя машина стояла напротив служебного входа, а ее хозяин, угостив даму холодными пончиками, слушал рассказ о посещении клуба. Она честно поведала о том, как опростоволосилась без знания Станиславского.

Поведение их начальника, как ни крути, не отвечало здравому смыслу. А это у людей, знающих его, не могло не вызвать опасений. Но опасения слушатель оставил даме, сам же испытывал недоумение.

— Однако дела, — задумчиво произнес капитан спустя пару минут после того, как замолчала Калинина. — Если он в здании, то мы его, конечно, дождемся, но если нет... Надо бы побыстрее это выяснить. А может, он у хозяина в кабинете кофе пьет?

— Не пьет, тот куда-то отъехал.

— Не ушел же Орел через канализацию? — мрачно пошутил коллега. — Остается только ждать майора или твоего друга. А что он за птица?

— О, Максим Аркадьевич скорее не птица, а рыба. Он к нам пару лет назад приплыл. Правда, не во главе стаи, но и не замыкающим. Мы тогда с Русановым икорным бизнесом занимались.

— И что же, он не утонул?.. Ни при чем, что ли, оказался?

— Да. Вышло что-то вроде этого. Около икры был все время, а конкретно нигде не засветился. Утонул один из лидеров да еще несколько мелких рыбешек из последних, а те, кто плавал в нейтральных водах, уцелели. Вот и этот пескарь отделался легким испугом. Теперь здесь песок носом роет. Ты бы видел, с какой довольной физиономией по залу ходит. Я не сразу и узнала. Правда, как ни странно, похудел немного. Видно, у таких не близость кухни разжигает аппетит, а теоретическая возможность вкусно поесть. У него она в те времена была... Где его тогда только не видели. И в Дагестане, и на Волге, и на Дону. Ну а в Астрахани даже квартиру снимал. Чаще был, чем в родной столице. Есть в этой области, вниз по реке, районный центр с названием ни больше ни меньше, как Икряное. Небольшой одноэтажный поселок, я туда раза три приезжала, когда в командировке была. Всех дел-то — час на машине, и там. Вот между городом и этим райцентром и катался. Там его каждая крупная собака, занимающаяся сбытом икры, знала. Место благодатное. Работы нет, и почти каждый мужик рекой кормится...

— Представляю, каково там нашему брату, — невольно перебил рассказчицу Платонов.

— Да, места необычные и народ суровый. Рассказывали, что во время войны немцы в этот район десант сбросили. Так через некоторое время только несколько человек в живых остались. Плавни, что тайга, чужаков и любопытных не любят. Помню, приехала я в одну бригаду рыбаков под конец смены. Представилась, говорю, надо пообщаться с бригадиром. Ну, мне, мол, занят он, невод вытащит и придет. Стою в стороне и смотрю, как огромная сеть механически вытягивается из воды, а в нем огромная белуга плещется метра два длиной и несколько небольших осетров. Потом, когда на берег улов вытащили, мужчины и женщины обступили его, а минут через пять ни добычи, ни бригады, ни бригадира. Только два рыбака, расправляющие сеть да отходящий баркас с людьми. Я к этим двоим, так и так, говорю, а они разводят руками и успокаивают, что, мол, через час другая бригада приплывет. Потом, когда успокоилась, долго смеялась — ну бригадир-то ладно, сел в лодку вместе со всеми и уплыл, а вот куда они эту акулу спрятали, до сих пор ума не приложу. Кто-то выходит... — прервала рассказ Ольга.

Из служебного входа появилась фигура одетого в длинное пальто и широкополую шляпу мужчины с кожаной сумкой на плече. Он воровато огляделся по сторонам и, низко надвинув на глаза шляпу, заспешил по тротуару прочь в сторону метро.

— Макс!

Ольга первой выскочила из машины и зацокала каблуками вдогонку за ним. Тот мгновенно отреагировал на звук погони. Обернулся и бегом устремился вперед в надежде успеть пробежать вдоль дома и скрыться за углом во дворе.

— Стой, Макс, или буду стрелять! — не останавливаясь, грозно прокричала Калинина.

Никто, конечно, и не думал стрелять и даже доставать табельное оружие, тем не менее смысл услышанного Максим Аркадьевич понял моментально. Он, как можно быстрее остановившись, повернулся лицом к преследующей паре и развел в стороны руки. Если, услышав женский голос, еще на что-то надеялся, когда обернулся, понял, что напрасно.

Тоном невинно оскорбленного человека произнес:

— Почему сразу стрелять? В чем, собственно говоря, дело? И кто вы такие?

— Бросьте, Максим Аркадьевич, уж я-то твоя старая знакомая, а с моим напарником в машине познакомлю. Пошли...

Жизнь бекова, клял все кругом Макс. Большая черная матерчатая сумка «Nike» налилась чугунным весом, словно там лежало по меньшей мере полдюжины старорежимных утюгов.

А мимо проводки жались к стенам домов собачники. Они впервые видели задержание. Слегка струхнули. Вдруг стрельнут. Шальная пуля. И все-таки это были свободные люди. Чего-чего, понял Макс, а уж свободу ему теперь обрести вновь будет сложно.

## ГЛАВА 19

Узкая полоска света между дверью и полом ничуть не освещала помещение, но хоть как-то помогала ориентироваться.

Отец с сыном сидели рядом с дверью на разломанных картонных коробках, сложенных в невысокую стопку. Коробки, судя по всему, из-под мороженой рыбы, были холодные и влажные. Тем не менее они оставались единственным местом, куда можно было присесть в этом маленьком помещении, заваленном почти до потолка всевозможной тарой. Тишина нарушалась шумом изредка проезжающих по улице машин да стуком падающих откуда-то сверху капель воды. Вода была очень холодная, но укрыться не представлялось возможным, кроме как держа над головой куски картона, отчего руки невыносимо ныли. Все вокруг издавало тошнотворные запахи испорченных продуктов.

Никита первым поднялся и, разминая ноги, попытался осторожно пройти по помещению. Сделав несколько шагов, он тотчас же споткнулся обо что-то и полетел в темноту.

— Фу, черт ногу сломит... — пробурчал он, тяжело поднимаясь.

Любое движение причиняло боль. Давали знать и многочисленные ссадины, к которым, видимо, прибавилась еще одна от падения.

— Сюда все дерьмо сбрасывают, а потом через люк грузят на машину и увозят.

— И угораздило тебя в дерьмо это вляпаться!

— А тебе что? — со злостью вдруг огрызнулся Илья на замечание отца. — Ты-то на иждивении у государства... У вас все по полочкам разложено, полный порядок. Мучаешь солдатиков, а тебе за это деньги платят. Да и думать ни о чем не надо. Начальство обо всем подумало и приказало. А тебе что — сказал «Есть!» и выполнил приказ, а там хоть трава не расти. Звездочки на погоны падают, а с ними бабки немереные. Да ладно бы еще служил в дальнем гарнизоне, а то всю жизнь в столице. Не жизнь — малина. Своими-то руками не заработал, поди, ни копейки.

На какое-то время воцарилась полная тишина. Никита, забыв про боль от ушибов, молчал — слова сына оказались куда больнее. Пошарив по пустым карманам в поисках сигарет, зло выругался и сплюнул. Затем заговорил размеренно и четко выговаривая слова:

— Не смей так со мной разговаривать! Какие там еще солдатики?! Что за чушь мелешь?! Знаешь, я иногда думаю, мой ли ты сын? Как же можно вырасти таким?..

— А почему я должен быть не таким? А каким, интересно, тебе хотелось бы меня видеть? — срывающимся голосом ответил вопросом на вопрос Илья. — Ты что, звонил или телеграммки отбивал мамке с ценными советами по поводу моего воспитания? Детей — это сейчас везде пишут — надо в младенчестве воспитывать... Так что тебе надо было не водку пить и по бабам шастать, а меня учить жить. А то здорово получается: я в люльке лежу, а они решают, сколько отцов мне нужно. Так я тебе скажу, таких, как ты, ни одного. Понял? Ни одного. Что молчишь? Все это время молчал и сейчас молчишь?! Дети — лицо родителей. Так что смотри на себя и не возмущайся!..

Сын повернулся спиной к отцу и начал насвистывать веселую мелодию, отбивая такт обеими ногами.

Отец с минуту послушал.

— Перестань, пожалуйста. Я не думаю, что тебе сейчас весело. Мне тем более... Конечно, я страшно виноват перед тобой, но хочу, чтобы ты простил меня. Я понимаю, что бросил тебя, не успев ничего...

Илья перестал свистеть и, со злостью отбросив кусок картона, повернулся к отцу.

— Да ладно, пап. Я тебя прощаю... Правда. Ты и представить не можешь, как я рад, что родной отец вернулся ко мне, — искренне признался сын, не умея скрыть дрожь в голосе. — Но и ты меня прости... Из-за меня же влип...

— Не за что! — попытался пошутить Никита и замолчал из-за сильного кашля, а потом, сплюнув, продолжил: — Сам подставился, чего уж там... На мать не обижайся... Она не всегда бывает права, но...

Никита замолчал, снова раскашлявшись.

— Болит?

— Немного...

— Потерпи, батяня. Если выберемся отсюда, я тебе всю аптеку куплю... — пообещал Илья, обнимая отца.

— Хороший ты парень, Илья. Тебя еще можно исправить! — дрогнувшим голосом заметил отец.

— Тебя тоже...

Наступившую тишину прервал топот приближающихся людей.

Ярко вспыхнувший свет осветил мощные облупившиеся стены старого подвала. В середине одной из них ярким пятном выделялись свежевыкрашенные створки люка для выброса мусора, закрытые на два видавших вида замка. Вверху несколько проржавевших швеллеров блестели крупными каплями влаги, покрывшими их поверхность. Швеллеры держали бетонный потолок местами с обнажившейся арматурой, также украшенной каплями. После недолгой возни с замком обитая железом дверь открылась, и на пороге показались двое охранников, знакомых Никите по первому посещению.

— Ну и видок у вас, ребята, — заметил один из вошедших, а затем, сморщив нос, добавил: — Да и запашок тоже...

— От страха даже медведь обосраться может, — заржал второй охранник, явно довольный своей шуткой, а когда вволю насмеялся, приказал: — Вставай, Орел, настала очередь размять крылья... Да не ты, соловей, а твой батя. Он у тебя непослушный какой-то — обещал себя хорошо вести, а хулиганит. Видно, мало мы ему неделю назад рыло начистили. Как думаешь, напарник?..

Удачный по меткости, но слабый по неопытности удар сына ногой по колену охранника прервал его красноречие. Тот невольно чуть припал на пострадавшую ногу, но сумел заслониться поднятым локтем от удара рукой в лицо. От другой бьющей руки парень легко ушел в сторону и, перехватив ее, начал заламывать за спину Ильи. Однако вынужден был отпустить... Сильный прямой в солнечное сплетение сидящего перед ним отца заставил охранника переключить внимание на майора. Но не успел. Глухо охнув, завалился на кучу мусора, жадно глотая воздух. Напарник, не раздумывая, пробил правой в голову чуть привставшего Никиты, но тому удалось поднырнуть под бьющую руку и оказаться за спиной противника.

Развернулись они одновременно, а теперь стояли лицом к лицу, взвешивая ситуацию и внимательно следя друг за другом. Никита, загородив выход, был доволен своим положением, чего нельзя сказать об охраннике. Еще бы... Если пять минут назад один и не мечтал о таком раскладе, то другой не мог представить его даже в самом кошмарном сне.

— Ну так как же, мало вы тогда втроем мне навесили? — почти повторил вопрос Орел и, не услышав ответа, спросил: — Что молчишь-то? Язык проглотил?

Охранник не отвечал, так как прекрасно понимал, что стоявший перед ним мужик настроен решительно. К тому же был грамотнее в таких делах, судя по не приходящему в себя напарнику. Парень тянул время, надеясь на появление кого-нибудь из своих.

Молчал и Никита.

Пара ложных выпадов стоящего напротив противника не произвела на него никакого впечатления. В том, что этот бугай не сможет остановить их, не сомневался. Вопрос стоял, что делать дальше?

За него все решил Илья, бросив в голову охранника пустую коробку, чем отвлек на себя внимание парня. И этой секунды оказалось достаточно, чтобы сильнейший апперкот Никиты точно достиг подбородка охранника и тот, ломая коробки, мощным телом опустился на бетон и замер...

— Что делать будем, отец? — спросил Илья, восхищенно глядя на отца.

— Выбираться, Илья, выбираться, и как можно быстрее... — ответил Никита, выворачивая карманы охранников.

Оружия в них, к сожалению, не было, сигарет тоже. Уйти через люк было заманчиво, но его замки висели прочно, а никакого рычага на глаза не попадалось. О том, чтобы сломать их голыми руками, не могло быть и речи. К тому же пластины охранной сигнализации на створках предупреждали о бесперспективности попытки. А надо было уходить, и уходить как можно быстрее...

Никита понимал это. Спешил и когда связывал руки парней их же собственными ремнями, и когда заматывал обрывками липкой ленты с коробок рты, пропуская ее между зубами, и когда, закрыв дверь, поднимался с сыном по лестнице. Только оказавшись перед закрытой с другой стороны дверью в коридор, они поняли, что можно было и не торопиться, так как отсюда самим не выбраться.

— Что делать будем, отец? — вновь задал вопрос Илья, неумело скрывая растерянность и страх. — С той стороны задвижка.

— Будем ждать...

Однако ждать не пришлось. Видимо услышав их шаги, дверь открыли с той стороны.

Сам хозяин с ребятами стоял на пороге. Двое здоровых молодых мужиков тут же обступили Никиту, а третий, что помоложе, спустившись вниз, вскоре вернулся с висящим на плече охранником. Его коллега, сильно шатаясь, шел сам.

— Нет, все-таки Сергей Павлович плохо с кадрами работал, — прервав молчание, заметил Бартеньев и с удивлением обратился к стоящему рядом Илье: — Смотри-ка, а ведь из твоего папы мог бы получиться неплохой боец! Как считаешь, может, сегодня и попробуем?

— Тварь, педераст! Они же убьют его! — с ненавистью закричал сын и что есть силы лягнул хозяина в ногу.

Парень, державший охранника, в момент скрутил Илью, и тот, рыча от боли, злости и собственного бессилия, забился в мощном захвате.

— А вот этого не надо, — предупредил один из мужиков дернувшегося было Никиту.

Сжал, словно тисками, руку.

— Вот звереныш, — потирая ушибленную голень, заметил Бартеньев и, посмотрев на Илью, пообещал: — Конечно, убьют! А я на этом еще пятьдесят штук заработаю. Жаль, конечно, что ты этого не увидишь, но не обессудь. Тебе в этих стенах больше делать нечего, поедешь в другое место, отдохнешь, поумнеешь... Хотя это тебе уже ни к чему. Ребята, отвезите этого молодого шустрика на квартиру и бросьте где-нибудь подальше, а самого батьку готовьте к выступлению. Назовем его Мент. Найдите где-нибудь трусы поприличнее и что-нибудь на ноги. Хотя нет, пусть босиком поборется за шапку первого поединщика. Да, и в программку занесите.

Бартеньев засмеялся, довольный задуманным, и под одобрительный смех своих ребят ушел, нисколько не сомневаясь, что все будет сделано именно так, как он распорядился.

## ГЛАВА 20

Каждый раз, когда Платонов проходил за спиной Макса, последний невольно втягивал голову в плечи. Так продолжалось уже около часа, а он не мог привыкнуть к этому. Попросить капитана не ходить за спиной Максим Аркадьевич не решался, да и вряд ли тот отказался бы от своих укоренившихся привычек. Так, по его мнению, лучше думалось.

Макс сидел в метре от стола, на котором тридцать пять пачек стодолларовых купюр образовали внушительный прямоугольник рядом с раскрытой матерчатой сумкой «Nike». Напротив сидела его старая знакомая, Калинина. Она-то и вела допрос, изредка что-то записывая в протокол.

Все это время топтались на месте — Макс и Ольга стояли каждый на своем.

— Я же вам сто раз говорил, что эту сумку мне дали на хранение, — снисходительно улыбнувшись, ответил задержанный на очередной вопрос Ольги.

— Макс, ну сам посуди. Какой же идиот дал тебе на сохранение тридцать пять тысяч? Такому жулику, как ты?

— Ну, Ольга, как можно? Какой же я жулик? Мы с вами вот так вот сидели и беседовали. Ну и что? Я так понимаю, раз я на свободе, значит, я не жулик. Вы согласны?..

— Ну хорошо, — согласилась Ольга. — Допустим, ты не жулик, а честный фокусник, но скажи мне, кто же этот доверчивый чудак?

Максим Аркадьевич на минуту задумался, как бы взвешивая ситуацию, а потом, безнадежно махнув рукой, согласился:

— Хозяин клуба, Бартеньев. Только он не сказал, что там деньги. Вас увидел в зале и отдал. Испугался, наверное.

— А что, у нас на лбу написано, что мы налоговики?

Макс опять на минуту задумался и виноватым голосом признался:

— Это я ему сказал, как только вы показались в заведении. Сами понимаете, у нас же одно дело.

— Хватит, Макс, дурака валять, — теряя терпение встала со стула Ольга. — Быстро говори, откуда у тебя столько денег?

— Ну я же вам говорю — откуда. Хозяин... — начал повторяться Макс и затих.

Платонов за его спиной прекратил расхаживать, и это показалось задержанному опасным признаком — уж лучше бы продолжал.

Мошенники, так же как и карманники, должны иметь не только высокую квалификацию, но чутье и интуицию, остро чувствовать момент опасности, чтобы вовремя свернуть операцию. Этого нельзя добиться ежедневными тренировками или тщательным планированием и подготовкой. Это должно быть в крови, ибо присвоение чужой собственности всегда сопряжено с наказанием.

В кабинете воцарилась тишина. Макс, предчувствуя недоброе, невольно заерзал в кресле, скрип которого послужил сигналом для вступления в процесс молчавшего до сих пор Николая.

— Капитан, вам не кажется, что мы уже больше часа слушаем Максима Аркадьевича, а он явно злоупотребляет нашим терпением. И главная причина этого, как я думаю, в вас. Многие мужчины стесняются присутствия женщин при таких беседах, — начал Платонов нарочито сладким голосом. — Вы не могли бы выручить вашего знакомого? Покурите минут пятнадцать — двадцать. А мы с задержанным пока потолкуем здесь. По-мужски.

Ольга, подыгрывая Платонову, молчала, задумавшись над его словами.

— Может, не стоит? — спросила она, изображая колебания. — Нам жалобы ни к чему.

— Какие жалобы, капитан? Мы просто побеседуем тет-а-тет! Да вы же сами говорили, что знаете этого человека и что он не дурак. А раз так, мы легко найдем общий язык. Правда, Максим Аркадьевич?

Макс молча слушал их диалог, боясь повернуться к стоящему позади Платонову. Его голова непроизвольно все глубже и глубже уходила в плечи.

— Максим Аркадьевич, вы же не страус... — напомнил Николай, похлопав задержанного по плечу. — Ну так как же, капитан?

Калинина, сокрушенно вздохнув, поднялась со стула. Она долго рылась в сумке, пока наконец не нашла зажигалку и сигареты. Потом, с сочувствием посмотрев Максу в глаза, шагнула к выходу.

Задержанный следил за ее движениями с мольбой во взгляде. Уже открывая дверь, Ольга задержалась, как бы раздумывая, но затем, ободряюще кивнув Максу — что поделаешь, крепись, от меня мало что зависит, — все же решилась оставить их.

— Только вы уж, капитан, поаккуратнее, хорошо? А то и так ковровое покрытие все в пятнах...

— Да стоит ли из-за таких пустяков волноваться, — потирая руки, удивился Платонов и, посмотрев на Макса, добавил: — К тому же, как мне кажется, я буду иметь дело с неглупым человеком.

— Это точно. Удачи, капитан, — пожелала Ольга и плотно прикрыла дверь.

— Ну вот мы наконец-то одни, Максим Аркадьевич. Вы подумайте немного, а когда будете готовы, скажете мне, и мы начнем. Хорошо? — предложил Николай, снимая пиджак и похрустывая суставами пальцев.

Этот ужасный хруст зазвучал в ушах задержанного последним погребальным звоном. Он не знал, слышит ли что-либо покойник. Но Максим Аркадьевич не был бы Максом, не имей он в рукаве хотя бы один маленький козыришко. А козыришко был — свалить все на шефа.

Глубоко убежденный в том, что большинство преступлений не совершаются людьми только из страха наказания, совершал их и ужасно боялся тюрьмы. Человек, заложивший товарища ради спасения собственной шкуры, во все времена и у всех народов популярностью и любовью не пользуется. Тюрьма же — место особенное, а наша система далека от совершенства. Но и «паровозом» идти Максим Аркадьевич не собирался. Оставалось одно — так замаскировать правду, чтобы получилось: и сдал, и как бы ничего не сказал. Но тут все зависело от ума и желания того, кто допрашивает или ведет следствие. Как посчитает. Может ведь и в заслугу себе поставить, не упоминая показаний задержанного. Короче, как договорятся.

— Хорошо. А к чему я должен быть готов? — спросил Макс с надеждой в голосе.

— Ко всему... — улыбнулся капитан. — Но главное — говорить правду.

Он не спеша уселся в кресло, где только что сидела Ольга. Затем, глубоко вздохнув, потянулся и принялся листать лежащую на столе папку с бумагами. Макс ерзал на стуле, проигрывая различные варианты сдачи. Он то и дело смотрел то на читающего Платонова, то на висевшие за его спиной часы. Время летело как никогда быстро. Наконец Максим Аркадьевич понял, что больше испытывать терпение капитана неразумно, и решительно произнес:

— Я готов.

— Ко всему? — спросил Николай, откладывая папку.

— Говорить правду...

А в это время майор Орел, разделенный с сыном, сидел в подвале, переоборудованном под раздевалку поединщиков. Разные мысли бродили в его голове...

Человек может ошибаться в оценке сути своих переживаний и вовсе не осознавать их как одиночество. Только один-два процента людей внутренне убеждены, что никогда не испытывали этого чувства или испытали его в такой мере, когда оно приносит невыносимые мучения. Сильные личности могут испытать острейшее чувство одиночества в момент принятия ответственного решения, от которого зависит судьба не одного человека. Такое одиночество у психологов называется «одиночеством принятия решения». И хотя Никите частенько приходилось принимать решения не только за себя, но и за других, до некоторых пор, как натура сильная, справлялся с этим чувством. Вернее, не ощущал или не мог определить, что творится с ним самим в результате принятия решения.

Орел несомненно относился к тем двум процентам, внутренне провозгласившим себя независимыми и самостоятельными. Безусловно, в этом есть доля правды. Орел независим, но от кого? От себя? От Наташи?

Одиночество, в сущности, несоответствие переживаемого человеком и наблюдаемого реального существования с идеальным, внутренне выстроенным, «как должно было бы быть». С первой женой «должно было быть» все хорошо, а вышло — хуже некуда. С Наташей все начиналось так просто и ясно, а стало запутанно и непонятно. Может быть, дело в том, что он не до конца доверяет ей? Может быть, дело не в ней? Вся эта история с сыном... Подвал. Почему он не задействовал своих ребят? Боялся, что кто-то вывернет его внутреннее «я» и оно станет доступно чужому разумению, сделает уязвимым, если кто-то захочет побольнее ударить? Значит, не доверяет людям.

Никита сжал голову ладонями и, медленно раскачиваясь из стороны в сторону, пытался сосредоточиться. Поздненько ты, Никитушка, решил разобраться, раньше это надо было делать. Не пережевывать в себе, а сесть и честно сказать: Наташа, я ничего не понимаю в сложившейся ситуации, никакой я не супермен, просто с меня, как с виноградной улитки, сорвали домик и вот-вот польют лимонным соком...

Лязгнула входная дверь, и по ступеням спустились два охранника. Они молча посмотрели на сгорбившегося фискала, усмехнулись, но остатки уважения к этому настырному налоговику не позволили им смеяться открыто. Кто знает, как может повернуться жизнь. Сегодня — ты, завтра — тебя.

На пол перед Орлом бросили сомнительной свежести кимоно.

## ГЛАВА 21

Вести наблюдение втроем веселее и спокойнее, чем вдвоем, а тем более одному. Вот почему Павлюченко искренне обрадовался, когда к нему в машину подсели Русанов с Калинкиным.

— Ну что, Евгений, с тебя причитается, как-никак в первый раз за начальником наблюдение ведешь. Мы-то с Иваном дебют уже вчера отметили, а сегодня твоя очередь выставить, — высказал свою точку зрения Дмитрий и, засмеявшись, добавил: —

К тому же порадуешься за майора, какие молодые да красивые девицы им еще интересуются.

— Знаешь, Дмитрий, зря смеешься. Ольга, пожалуй, права — что-то здесь не так, — заметил Павлюченко, кивнув в сторону машины. — Он больше часа отсутствует в зале, а его машина стоит.

— Да брось ты... Вчера же сам видел, как он здесь наслаждался жизнью, да и на работе был весел, — усомнился Русанов. — Чего бы опять пришел, если здесь проблемы были?

— Может, вчера не было, а сегодня появились, — предположил Калинкин. — Вон как у этого парня. Сегодня веселился, а завтра утром проблемы с головой будут.

Из клуба вышли два хорошо одетых мощных парня, держа под руки третьего, худощавого паренька, совсем не стоящего на ногах, одетого в короткую куртку и джинсы.

Подойдя к стоящей невдалеке «БМВ», они загрузили своего товарища на заднее сиденье и ушли обратно в клуб.

— Жестоко, — констатировал Русанов. — Так и заморозить человека можно.

— Зато быстрее придет в себя на холодке-то, — понимающе возразил Павлюченко. — Небось эти двое не забудут и навестят через часик.

Однако Иван ошибался. Парни появились куда раньше, неся на плечах теперь уже девушку, которую также посадили в «БМВ». Один из парней сел за руль, а другой, подозвав парковщика и что-то коротко сказав ему, направился к своей машине.

— Пьющая молодая пара, забавно, — прокомментировал ситуацию Калинкин. — Вместе веселились, завтра утром вместе за пивом пойдут. Нашли, видно, друг друга ребята...

— Слушай, Иван, а тебе не кажется, что именно эта девица вчера с майором была? — удивленно спросил Русанов, наблюдая за тронувшейся «БМВ». — Пальто по крайней мере то же и прическа похожа.

— Честно говоря, не кажется, хотя тебе виднее, я-то ее почти не видел, а вот ребята эти крутились сегодня среди охранников.

— Э-э, а куда это наша «Нива» поехала? — прервал Павлюченко Калинкин, увидев подающую назад машину начальника.

— А вот теперь кажется, — резко бросил Иван, включая зажигание. — Дима, оставайся здесь и сообщи обо всем ребятам, а мы за ними.

«Волга» сорвалась с места и, пробуксовывая в месиве из грязи и снега, устремилась за «БМВ» и орловской машиной.

Раз в месяц Дуров устраивал в отделе некое подобие мастер-класса. Злые языки говорили, что Дуров обкатывает на подчиненных тезисы своей диссертации. Наверное, так оно и было, а может, Дед собирался писать мемуары, тем более опыт имел громадный. Начинал с участкового.

Ходили послушать Дурова охотно. В каждодневной рутине, в завале документов и повседневных неотложно-пустячных дел это был отдых, переключение мозгов с одного вида деятельности на другой.

Собрались в общей комнате.

Дед протер линзы очков со старомодной оправой «Макнамара» и откашлялся. Не потому, что волновался или першило в горле, а для солидности.

— Тема нашей сегодняшней встречи «Эволюция преступлений»... Начнем, так сказать... Я думаю, что преступления, совершенные человеком в библейские времена, — тема интересная и отдельная. Посему начнем с раннего средневековья... Переселившись в города, люди начали враждовать между собой, грабить и убивать друг друга. Причины давно известны и ясны. Обрабатывая землю в рамках маленьких селений, они имели на повестке дня только один повод для столкновений — увеличение земельных наделов. Засуха, недород подталкивали к этому. А в городах, которые объединили за своими глинобитными стенами ремесленников и купцов, не имевших возможности производить продукты питания и все больше и больше зависимых от натурального хозяйства близлежащих наделов, образовалась прослойка, не способная вообще что-либо производить своими руками. Если в рамках крошечной земледельческой общины, где все всех знают и крепкие кровные узы, практически отсутствовала соответствующая база для преступлений, то в городе сам быт и экономические условия эту базу формировали. Поэтому столкновения за наделы нельзя рассматривать как некое подобие земельных войн. Они возникнут позднее и будут провозглашены как «борьба за жизненное пространство».

Первые города по своим масштабам не превышали современной деревни. Если жителям соседнего города приходило в голову захватить земли соседей, начиналась территориальная война за наделы.

Только в шестидесятые годы двадцатого века перестал оспариваться тот факт, что для всех существ отмеченная ими территория является жизненно необходимой зоной, откуда изгоняются все чужаки...

— Как для животных, — хмыкнул кто-то в аудитории.

— Совершенно верно. Человек и есть животное. Высокоорганизованное и способное к абстрактному мышлению, как это сделали вы, капитан, но животное... Ввиду того что бок о бок теперь вынуждены были ютиться безликие массы народа и многие оказывались на грани голодной смерти, неизбежными стали грабежи и убийства ради хлеба насущного. Именно тогда сильные личности, назовем их «доминантными», захватывали все, что заблагорассудится. Наиболее удачливые или жестокие становились королями или полководцами. Те, кому не повезло, вливались в ряды изгоев — разбойников. Вспомните красивую легенду о Робин Гуде.

Несмотря на то, что первые строители городов имели благородную цель обезопасить население, собрав его за крепостными стенами, цивилизация внесла в процесс свои коррективы. Чем больше людей прикладывали совместные усилия, чтобы сделать свою жизнь счастливей, добиться успеха, стать богаче, тем легче находились люди, оказавшиеся за бортом. Общество постепенно превращалось в некое подобие современных «крысиных бегов».

С высвобождением времени для досуга появились новые профессии и роды занятий. В этом смысле цивилизация принесла в мир преступлений и новые мотивы.

Убивать стали за наследство, за крышу над головой, за владение хозяйством, за движимость и недвижимость. Семьи были большими, а наследовали по старшинству. И вот младшие сыновья, нищие, но с закрепленными за ними привилегиями, разбрелись по свету в поисках богатства. Никто не уходил из дома из жажды приключений, и Робинзон Крузо поступил на корабль, скорее всего, ради гарантированного куска хлеба и возможности сколотить состояние. Ничего более.

Далее... Имущественные преступления сменяются сексуальными. Одновременно появляется государственный терроризм. Английская и французские революции тому пример. И первый бандитизм — это уже не разбойники с большой дороги.

Вводятся различные законы. К одному такому — «Саксонское зерцало» мы придем в свое время. Устанавливались фиксированные меры наказания за определенные виды преступлений. И славяне здесь нисколько не отстали. Правда, их правосудие дольше не было закреплено государственными актами. Например, не так давно с точки зрения истории в качестве наказания разбойника с большой дороги, душегуба, осуществлялась такая мера, как казнь на месте. Естественно, при наличии живого свидетеля, уличившего разбойника. Душегуба зарывали прямо в колею дороги, а затем раскатывали место погребения, чтобы не осталось никакой памятной зацепки. Чтобы никто, даже ближайшие родственники, не могли навестить могилу. Без священника и покаяния. В этом был определенный религиозный смысл — проезжавшие тревожили прах усопшего, и не было ему покоя.

— Правильно. Я бы кое-кого из нынешних в бетон заливал или в асфальт закатывал, — подал голос Привалов, который вел недавно дело одного бизнесмена.

Поначалу экономическое, оно к концу тянуло на одно из самых громких по убийствам. Один обманул другого. В отечественном бизнесе не редкость. Чтобы не платить, вызвал партнера за город и застрелил. Застрелил и свидетеля — шофера. Потом поехал в столицу убрать жену, так как та была посвящена в дела мужа, и убил не только ее, но и гостившую подругу, присоединив к первым жертвам ребенка, пришедшего раньше обычного из школы.

— Выходит, во всем виновата цивилизация? Тогда я за каменный век.

— В известной степени — да. Цивилизация принесла нам совершенно новые виды преступлений. Сексуальные маньяки, серийные убийцы, терроризм, киднепинг, организованная преступность... Но не думайте, что не было ни серийных убийц, ни чего-то уже известного нам сейчас. В 1124 году в крепости Аламут скончался Хасан-ибн-аль-Саббах, один из наиболее известных и жестоких религиозных и политических деятелей всех времен. По образу и подобию созданной им организации впоследствии строились все остальные тайные ордена и общества. Монархи всех стран Европы трепетали при одном его имени. Это был орден убийц. Политических убийц.

Я дам вам список литературы для более полного ознакомления. Кто интересуется, естественно. А теперь давайте рассмотрим не глубокое историческое прошлое, а сегодняшний день. Дела вашего отдела...

Присутствующие заерзали, предчувствуя неприятности. Только безынициативный человек не делает ошибок, но почему-то считается, что этот тезис для понимания начальства недоступен. Но они ошибались.

Дед знал и любил сидящих перед ним.

## ГЛАВА 22

После ухода охранников Никита словно очнулся. Отбросив самокопание, подошел к брошенному кимоно, брезгливо приподнял и рассмотрел. На груди кое-где виднелись бурые пятна. Орел не сомневался в их происхождении.

Надо было срочно что-то предпринимать. Ему и в голову не приходило бояться за себя, но то, что может произойти с сыном и девушкой, мучило больше всего. Неправильно он себя повел. В чем неправильно?.. Ладно, сейчас не время.

Он огляделся. Длинное, как пенал, помещение без окон, с одной дверью о двух замках, обитой железом. Нечего было и мечтать, чтобы взломать ее голыми руками. Вдоль стен шкафчики для переодевания.

Никита прошел по ряду, выбирая дверцу, не так плотно прилегающую к стенкам. Такая нашлась. Всунул кончики пальцев в щель и потянул на себя, рискуя вырвать ногти с мясом. Дверца не поддавалась. Тогда он решил рывком вскрыть шкафчик. Понимал, что будет больно. Очень больно. Но кто его услышит за этими бетонными стенами бывшего бомбоубежища? Сказано — сделано. Никита закусил губу до крови. Даже при такой звукоизоляции не мог позволить себе слабости и крикнуть или застонать. Кожу на подушечках пальцев срезало ребром двери начисто. Так в начале века делали медвежатники, способные разгадывать самые изощренные секреты фирм-производителей банковских сейфов. Срезанная кожа обнажала тонкую, часто кровоточащую плоть. Она была сверхчувствительна к любым шероховатостям и скрытым швам. Известен случай, когда отечественный авторитет-медвежатник за большое вознаграждение фирмы открыл в несколько часов сейф, конструктор которого давал стопроцентную гарантию. Денег, естественно, ему не дали. Наоборот, пришлось уносить ноги, но капитал, который приобрел специалист, капитал, который теперь называют имиджем, приобрел неоценимый.

Орел посмотрел на свои руки. Ерунда, до свадьбы заживет, подумал он и вспомнил Наташу. Надо будет сделать ей предложение. Так лучше.

Взялся за вторую дверцу. Теперь было мучительно даже втиснуть пальцы в щель. В первом шкафу, кроме грязного белья и книжки без обложки, ничего полезного для побега не нашлось. Что-то во втором? Рванул еще раз... и сразу сел, спрятав больные руки в пах, словно обморозил. На самом деле они горели, как опущенные в кипящий гудрон.

В шкафчике тоже было грязное белье, стоптанные башмаки на платформе, полотенце не первой свежести и... Ему повезло. Хозяин оставил пакет с парфюмерией. Наверное, подарок. Сейчас Орлу было все равно. Он высыпал содержимое на пол: тени, кремы, пудра... Но главное — большой баллон лака для волос. Спрей. Мгновенно майор вспомнил сцену из американского боевика категории В, где девица, спасаясь от убийцы, подожгла похожую смесь и ослепила маньяка.

Орел порылся в карманах, и лоб его покрылся каплями пота — неужели потерял в свалке. Он точно помнил, что зажигалка была. Потом похлопал себя по нагрудному карману и улыбнулся — «Зиппо» в нагрудном.

Никита выставил вперед руку с баллоном, пустил в стену струю и чиркнул кремнем. Упругая струя брызнула метра на полтора. От неожиданности Орел даже отпрыгнул назад. Хорошо, очень даже хорошо, однако хоть тут польза от кинодерьма какая-то есть, отметил он про себя.

Теперь нужно было вызвать охранников, но перед этим вооружиться. Никита обошел по периметру все помещение и нашел забытый слесарем обрезок трубы. Видимо, совсем недавно здесь меняли подводку и не вынесли весь мусор. Взвесив в руке оружие, майор остался доволен и пошел к входной двери.

Занял позицию слева и теперь решил дожидаться, когда за ним придут. Не дождавшись, он забарабанил кулаком по железу, надеясь, что кто-нибудь из шестерок хозяина находится поблизости. И не ошибся. Спустя две-три минуты услышал, как в первом замке поворачивается ключ. Оставался второй. Никита приготовился. Теперь он нервничал куда меньше, чем тогда наверху. Тогда рядом был сын.

Как только первый охранник появился в дверном проеме, Орел нажал клапан баллона и чиркнул кремнем. Струя брызнула, но работяга «Зиппо» закапризничал. Никогда не отказывал. Ослепленный едкой жидкостью на спиртовой основе, охранник заорал, и тут вторая попытка удалась. Новая струя, но уже огня, а не просто жидкости, ударила в сомкнутые на лице руки охранника. Коротко стриженная голова мгновенно облысела. Горящий отпрянул назад, сбивая с ног стоящего за спиной, а Орел, отбросив баллон, ринулся вперед. Второму досталось по предплечью обрезком трубы. Даже в этой свалке майор услышал, как хрустнула кость... Так тебе, сволочуге, и надо!

Дальше лестница, а наверху — неизвестность. Майор несся через две-три ступеньки. Сзади кричали, но это его уже не интересовало. Свобода была близка. И в этот момент на него обрушился удар.

Перед глазами поплыли кровавые круги...
Глаза навыкате,
Капает с губ
Пена, соленная кровью.
Вы привыкнете,
Что я груб
И не кричу
От боли.

Мозги расплесканы
Алой розою,
И по стенам
Кровавость рук.
Все исчеркано
Мертвой прозою,
Как свидетельство
Чьих-то мук...

пульсировала и гасла в голове майора рок-песня Ильи.

Когда Бартеньеву доложили о неудавшемся побеге Орла и последствиях, хозяин пришел в ярость. Но оказалось, что никто из бойцов не пострадал. Что до того, придет в себя майор или нет, то хозяина уверили, что череп у мента на редкость крепкий. И Бартеньев развеселился. Вот ведь племя фискальное, ничего не берет, словно шар бильярдный, а не голова, пошутил он. Такой выстоит и пять раундов.

Бартеньев распорядился, чтобы майора, пока он без сознания, попотчевали тонизирующим наркотиком.

## ГЛАВА 23

Ольга в одиночестве сидела в комнате для курения. Она докуривала уже вторую сигарету, а Платонов не появлялся. Днем редко заходила сюда: мужские анекдоты, разговоры. Присутствие представительниц прекрасного пола не позволяло расслабиться и накладывало деловой отпечаток на темы их бесед. Прекрасно понимая это, женщины старались курить отдельно, где тоже можно было поговорить обо всем. Что же до тем их разговоров, то кроме обсуждения цен они мало чем отличались от мужских.

В данный момент, когда время подходило к полуночи, здесь стояла тишина и не было обычной задымленности.

Калинина недовольно подумала, погасив почти выкуренную сигарету, что это уже вторая, а значит, половина дневной нормы за полчаса. Ну где же твоя сила воли и забота о здоровье? Нет, с курением надо завязывать...

Придя в управление, в группу майора, Ольга не сразу обрела уверенность в себе, хотя все они не имели за плечами специального курса обучения. Сам майор пришел из МУРа. Поговаривали, что его перетянул за собой Дед. Она смутно слышала о какой-то нехорошей истории, произошедшй накануне, когда в ходе операции был уничтожен завод по изготовлению фальсифицированной водки, а главное — вся готовая продукция, назначенная к конфискации в пользу государства. Поговаривали, что майор сделал это намеренно. Хотя от ошибок никто не застрахован. Говорили также, что вторая большая звезда на погоны была задержана Орлу именно за это, и группа не получила даже благодарности от начальства, хотя Дед их всячески выгораживал.

Они были непростыми, эти парни. Калинкин, которого Ольга поначалу воспринимала не иначе как кроссвордиста, оказался большим спецом в совершенно разных областях знаний и, когда раскручивали дело с тканями, показал себя таким знатоком производства и его секретов, что значительно упростило разработку операции.

Домосед Привалов, обремененный двумя детьми, все разговоры которого в курилке сводились к частому показу фотографий своих чад, воспринимался ею как подкаблучник. А потом она узнала, как его, находящегося в коме после ранения, три месяца выхаживала беременная жена, и отношение тайной насмешки сменилось уважением.

Когда «тугодум» Русанов впервые при ней заговорил о марках, попутно сообщив столько исторических сведений, сколько она не выучила бы ни на одних курсах, Ольга по-иному стала воспринимать и его.

Бугай Заритовский, шеф физиков, частенько принимавший участие в операциях только на последнем этапе, стал для нее не просто бывшим бойцом спецназа, каратистом и знатоком восточных единоборств, но и специалистом по восточной философии, последовательным приверженцем китайского писателя Лао Шэ.

И наконец, сам Орел... Немногословный, со странным черным юмором, производил на нее отталкивающее впечатление. Поначалу она считала его слишком самоуверенным и даже побаивалась. Подмечала малейший промах, неловкость, граничащую с грубостью. Словом, все слабости. Отчасти в такие моменты ей даже становилось хорошо. Когда на очередном междусобойчике майор, приобняв ее за плечи, шутливо сказал, что пора бы открыть глаза и оглянуть мир окрест себя, сколько красивых неженатых мужиков ее окружает, то чуть не задохнулась от злости и обиды. Как он смеет! А спустя несколько дней, жалуясь в курилке подружке из отдела кадров на обаятельного мужлана, получила вдруг неожиданный совет: не строить в отношении майора никаких планов, так как у того серьезный роман, за которым с замиранием сердца следит вся женская часть управления. Ольга вдруг поняла, что Никита ей нравится. Давно. С самого первого дня.

Накануне она целую ночь просидела над формой, подгоняя ее по фигуре, укорачивая, надставляя, добавляя вытачки.

Дед представил ее отдельским. Орла не было. Отдельские присвистнули. А потом явился *он*. Вошел стремительно. Бросил какие-то папки на стол. Коротко и, как ей показалось, грубо отдал несколько распоряжений. И растревоженный его приказами муравейник вдруг зашевелился и, потеряв к новенькой весь интерес и перестав заигрывать, углубился в работу. Она обиделась. Подошла и робко представилась. Орел молча оглядел ее с ног до головы, и Ольга подумала, вернее почти явственно ощутила, как он раздел ее взглядом. Это было неприятно, но еще больше стало обидно, когда глаза его потухли.

— У нас можно ходить в цивильном. Это даже предпочтительнее. Если у нас в ближайшее время будет ресторанное дело, вы отлично подойдете на подсадку.

И все... И больше ничего... Хам.

Она и курить-то начала в пику начальнику. Нет, надо прекращать. Капля никотина убивает лошадь...

Начавшееся было самобичевание по поводу здоровья прервал вошедший Платонов.

— Пошли, а то самое интересное пропустишь, — предложил он. — Твой друг, кажется, созрел для беседы.

Максим Аркадьевич, сгорбившись, сидел на том же самом месте, уставившись в одну точку и ежесекундно шмыгая носом. Никак не отреагировав на появление Ольги, он анализировал сложившуюся ситуацию, все больше и больше сознавая ее безнадежность.

Все, что приходило в голову, тут же отвергалось по причине неправдоподобности и наивности. Деньги все равно потерял. А учитывая его роль в похищении, выходило, что правдивый рассказ — лучший выход из создавшегося положения.

— Ну что, мой друг, молчишь? — спросила Ольга, опустившись на стул.

Услышав вопрос Ольги, задержанный прервал свои затянувшиеся размышления. Окончательно решив все рассказать, Макс поднял голову и посмотрел Ольге в глаза, давая понять, что готов к продолжению допроса.

— Хорошо... Откуда деньги? — устало повторила

Калинина. — Только давай, Макс, правду. Поверь, от этого и тебе, и нам лучше будет.

— Да выходит, что так, — согласился тот, продолжая шмыгать носом. — Только вы не говорите Бартеньеву, что я все рассказал, или я труп!

— Да рассказывай, рассказывай. Не бойся, поживешь еще, — подбодрил его Платонов. — Мы же с тобой об этом только что говорили...

Макс передернул плечами, представив свою жизнь в ближайшие годы, но тут же отогнал грустные мысли и послушно продолжил:

— Они там, в подвале у себя, ринг установили и проводят бои без правил. Ставки большие, так что, хотя народу и немного, суммы собирают немалые. Где-то от тридцати до пятидесяти тысяч за каждый бой.

— А кто это «они»? — перебила Ольга.

— Ну, Бартеньев, Сиривля... Еще там пара-тройка, кто посвящен... — сообщил задержанный и задумался.

— Хорошо. Дальше, — немного подождав, попросила Калинина.

— А что дальше... — вздохнул Максим Аркадьевич. — Я про эти бои недавно узнал, недели две назад, может, три. Обидно стало, что они меня в долю не взяли. Я же все-таки главный менеджер, а не официант какой-то. На мне же весь зал держится. Что вы думаете, это легко?

— Да нет, я лично так не думаю, — поддержала его Ольга, с трудом сдерживая улыбку.

— А там-то что за трудности... Собрал деньги,

вывел на ринг двух бугаев, а через полчаса, как говорится, пожалуйте в кассу. Всех делов-то. Никаких тебе претензий, жалоб... И деньги другие. А мне с этого ни цента не перепадает... — искренне возмущаясь, жаловался Макс, пытаясь найти понимание у сидящей напротив женщины. — Они же все прекрасно понимают, так зачем же так поступать-то. Ну я и...

— Ясно, ясно, Макс, продолжай.

— Ну я одному фраеру и рассказал, какие деньги и откуда в клубе бывают. А он их того... пощипал немножко.

— А что это за фраер? Он тоже, как я понимаю, из вашего клуба?

— Да пацан один, он у нас на гитаре играет. Ему бабки очень нужны — хочет клип снять. Вот откуда эти деньги, — задержанный кивнул на разложенные пачки. — Это мой процент. Остальные у Орла...

Услышав эту фамилию, коллеги невольно переглянулись, и Платонов, подвинув стул, сел сбоку от допрашиваемого. С этого момента тот начал интересовать его куда больше, нежели просто задержанный, пусть и с большой суммой долларов.

— А этот Орел сейчас в клубе? — как бы между прочим спросила Ольга.

— Я его не видел, но думаю, что нет. На эстраде одна девица сегодня пела. Его не было. Чуть программу не провалили. «Атваряй патихоньку калитку...» Разве так ПАЮТ?

— Да, это так... — не то себе, не то Николаю подтвердила Калинина.

— Так Орел — певец ваш, что ли?

— Ну да. С голосом парень. Но жаден...

— Подожди, Максим Аркадьевич. Ты хочешь сказать, что такой тертый мужик, как твой хозяин, отдал этому пацану вот так, за здорово живешь, столько денег? — уточнил Николай.

— Получается, что так.

— Не смеши меня, Макс! — пристально глядя, покачала головой Ольга. — Ну признайся... На чем ты свое начальство подловил?

— Ну... как вам сказать... — удрученно ответил задержанный, не готовый ответить на такой вопрос.

— Так и скажи, — посоветовал Платонов. — Ты же прекрасно понимаешь, о чем тебя спрашивают.

Максим Аркадьевич молчал, стараясь во что бы то ни стало найти возможность уйти от выяснения его личного вклада во все это дело. Он сам понимал, что признания звучат смешно, когда роль ограничивается только сообщением о поединках и доходах от них. Да еще если бы хоть рассказал-то мало-мальски опытному в таких делах мужику, а то мальчишке-гитаристу. Черт бы побрал эту сегодняшнюю молодежь с ее непредсказуемыми мозгами. Ситуация складывалась забавная. В принципе говорил правду, а звучала она смешно...

— Ну что ты опять замолчал? Давай, не дури... — в который раз попросила Ольга.

— Словом, за время этих поединков четверых бойцов того... забили насмерть, — торопливо начал Макс, не обращая внимания на переглядывающихся Ольгу с Николаем. — Ну я им, когда узнал об этом, списочек с кличками и подбросил. Фамилий-то не знаю, они все с кличками...

— Понятно, — мрачно произнесла Калинина. — Теперь главное — где майор Орел? У них?

— Ей-богу, не знаю, про кого вы говорите!

— Ладно. Этого ты действительно можешь не знать... А когда там следующий бой, знаешь?

— Сегодня, они после полуночи обычно начинают.

Ольга устало откинулась на спинку кресла и посмотрела на Платонова. Обоим было ясно, что сегодня больше ничего нового не узнают. А где майор, оставалось загадкой.

Средь мира дольного
Для сердца вольного
Есть два пути.
Взвесь силу гордую,
Взвесь волю твердую, —
Каким идти? —

прочитала вслух Ольга строки известного поэта.

Она всегда вспоминала эти слова, когда не знала, что делать.

— Так каким путем пойдем, капитан?

— Прямым, — ответил, не задумываясь, Платонов.

— Прямым, конечно, лучше, но в какую сторону?.. Давай попробуем...

Звонок мобильного телефона в сумке Ольги прервал ход мыслей.

— Калинина слушает, — представилась Ольга. — Что?! И где вы? Понятно... Мы сейчас выезжаем.

— Что случилось? — спросил Платонов, почувствовав что-то неладное.

— Коля, охранники затолкали в машину какого-то парня с девицей и уехали, прихватив машину Никиты. Думаю, что это и есть, — Ольга кивнула в сторону Макса, — его сообщник. Павлюченко с Калинкиным повели их, а Дмитрий ждет нас у клуба. Давай срочно поднимай Заритовского и едем. Скорее, Коля, они же могут его убить.

«Женщина, — восхищенно посмотрел на кипящую энергией Калинину Платонов, позавидовал Орлу: — Вечно ему такие бабы достаются». В этот момент совершенно забыл, какая баба тому попалась восемнадцать лет назад.

## ГЛАВА 24

«БМВ» все время то стремительно вырывалась вперед, то еле-еле катилась, ожидая «Ниву». По всему было видно, что за рулем лихой наездник и возможности машины не дают ему покоя. Никитина же «старушка», как бы преданная хозяину, не позволяла сидящему за рулем порезвиться и, медленно набирая обороты, прыгала после каждой остановки на светофорах.

— Да, сцепление у майора ни к черту, — заметил Павлюченко, легко сохраняя расстояние между машинами.

— У него и коробка передач не намного лучше, я как-то еще в начале зимы катался, — согласился Калинкин. — На ней только хозяин ездить и может. Я ему еще тогда советовал обратиться в сервис, а он все тянет. Когда-то услышал шоферскую присказку, что, мол, стук должен наружу вылезти, вот и ездит, прислушивается. А в общем-то выходит, что наш начальник ничего зря не делает...

— Ты что имеешь в виду?

— А то, что, почини он свою машину, тебе бы на твоей развалюхе и не догнать бы их, а так едем, как на прогулке. У тебя ведь тоже похожее отношение к ремонту.

Павлюченко недовольно засопел. Какому владельцу могло понравиться такое мнение о его машине. Он резко нажал на газ, и «Волга», слегка задребезжав, вмиг сократила разрыв с «Нивой».

— Все понял? — снисходительно спросил Иван товарища. — Твое счастье, что на задании, а то бы пошел пешком, чтобы зря не трепался.

— Испугал. Я бы отсюда на метро поехал, мне здесь по прямой, — ответил Евгений, увидев впереди купол цирка. — А ребята эти, видно, в мои края направляются.

— Да нет, — возразил Павлюченко, когда замигал поворотник «Нивы», и преследуемые машины, свернув на малую дорожку, остановились. — Неужели накаркал насчет метро. Ну ты, Женьк, даешь...

— А чего им там делать-то, да и как с этими туда войдут, — заметил Калинкин. — Нет, вероятно, будут ждать кого-то.

— Дай-то бог, — пожелал Иван и, прижавшись к тротуару, остановился на другой стороне перекрестка.

Вести наблюдение было удобно.

Машины разделял Ломоносовский проспект, по которому движение, несмотря на поздний час, было достаточно интенсивным, да и начавшийся снег помогал им прятаться. Однако остановка длилась недолго.

Из «Нивы» вышел водитель и, закрыв машину, пересел в «БМВ», которая тотчас же сорвалась с места.

— Вот теперь есть возможность испытать твоего железного коня, — предположил Евгений, непроизвольно зажав в ладонях ремень безопасности.

Павлюченко молча кивнул, как бы соглашаясь с напарником, однако грамотно сохранял дистанцию, почти не увеличивая обычную скорость. Преследуемая машина не уходила на большую дорогу. Иван не спешил, понимая, что скоро она будет делать поворот, и ждал его. Однако когда это произошло, светофор сыграл с ним злую шутку, переключившись на красный в самый неподходящий момент. Они сумели повернуть, только пропустив поток машин. Когда оказались на нужной улице, машины впереди уже не было и ничего не оставалось делать, как начать поиски ее в близлежащих дворах. Снег, правда, помог, но времени было потеряно немало.

«БМВ» увидели, когда охранники входили в подъезд кирпичной башни, унося на плечах молодого человека. Выскочивший из машины Калинкин вскоре вернулся. Успел-таки определить, на каком этаже остановился лифт.

— Ну что, будем ждать или пойдем? — спросил

напарника Павлюченко, когда тот вновь уселся в машину.

— А чего ждать-то. Этаж знаем, квартиру найдем по следам. Слава богу, что кодовый замок не работает. Вот уж действительно нет худа без добра.

— Я тоже так думаю, пойдем, пока нас не ждут, — согласился Иван, открывая перочинный нож.

На улице никого не было, кроме одиноко гуляющего пенсионера с постоянно тявкающей болонкой. Непринужденно болтая, они прошли мимо стоящей «БМВ» и убедились, что в салоне никого не осталось.

— У, блин, — выругался Иван, споткнувшись около переднего колеса машины, и, когда выпрямился, колесо стало издавать тонкий свист выходящего воздуха.

Когда они подошли к лифтам, один из них стоял на последнем этаже, а другой спускался вниз. Пришлось спрятаться за дверьми запасного выхода, чтобы пропустить запоздалого гостя, которым оказался один из охранников. Калинкин вышел вслед за парнем и, когда тот подошел к машине, попросил закурить.

— Я сегодня не подаю, — хмуро ответил парень, открывая машину.

— Ты чего, пацан, такой жадный именно сегодня? — спросил, усмехнувшись, Евгений.

— Чего? — переспросил охранник, выпрямляясь во весь свой немалый рост.

Мужичонка перед ним был неказистый.

— Колесо у тебя спущено, вот чего.

Парень невольно посмотрел на колеса.

— Да с другой стороны смотри, водила хренов.

Охранник, немного опешив от таких речей, стоял, раздумывая, с чего начать: или поучить стоявшего рядом мужика вежливости, или посмотреть колесо. Он решил начать со второго, потому как с ужасом вспомнил, что и запаска у него проколота. Развернувшись, обошел сзади машину и, когда убедился, что мужик говорит правду, стукнул ногой по спущенному колесу. В эту же секунду, получив удар по стопе опорной ноги, растянулся около колеса и пришел в себя. Его руки были уже окольцованы наручниками, а мужик вместе со своим приятелем заталкивали его на заднее сиденье. Сначала парень решил, что у него отбирают машину, но когда услышал вопрос севшего рядом мужика, понял, что все гораздо сложнее...

— Давай быстро: кого привезли, номер квартиры и кто в ней? — начал задавать вопросы Калинкин.

— Да вы меня с кем-то путаете, мужики, — начал было тот, но, узнав во втором посетителя клуба, замолчал.

— Да не перепутали мы тебя, хлопчик, — заверил парня Павлюченко, неожиданно и резко ударив его согнутым локтем в бок. — Мы же с тобой уже сегодня виделись, и ты это прекрасно знаешь.

— Орла, музыканта нашего, с его девкой привезли, — начал говорить парень, то и дело морщась от боли.

— А где его отец? — спросил Иван и, предполагая встречный вопрос, добавил: — Отец — это хозяин «Нивы».

— Ей-богу, не знаю. Может, Руслан знает, он главный, — искренне взмолился парень...

Минут через пять все стало ясно.

Квартирой на двенадцатом этаже пользовались девочки клуба, когда надо было ублажить важного клиента, а распоряжался ею, вместе с ними, Ваня, который в данный момент находился в «Мираже».

— Ну ты посиди с ним здесь, — предложил Калинкин, отдавая напарнику удостоверение, — а я схожу на девочек посмотрю.

— А может, вместе пойдем? — усомнился в правильности такого решения Павлюченко. — Все-таки говорят же, что две головы лучше, да и четыре руки, думаю, тоже.

— А если что, этот выручать станет, — кивнул Евгений на насупившегося охранника. — Нет, надо идти одному из нас, но тебе нельзя, тебя мог и другой охранник с Ольгой видеть. А я нигде не светился, мне Ваня дал адресок, вот я и пришел...

— Ну-ну. Только чтобы через полчаса здесь был. И поосторожнее там, — попросил Павлюченко, с искренним беспокойством оглядывая тщедушную фигуру напарника.

Калинкину не пришлось долго ждать под дверью, так как ее почти тотчас же после звонка открыла пышнотелая высокая брюнетка в ярком кимоно. Смерив его оценивающим взглядом, девушка пригласила войти и провела в небольшую комнату, обставленную дорого и со вкусом.

— Угу, — буркнул, опустив глаза, Евгений, — мне вас Иван не такой описал.

— Что, не нравлюсь, что-ли? — спросила девушка, распахнув низ кимоно, обнажая красивые полные ноги и аккуратно подбритый черный треугольник. — Класс? По часам или на полную катушку? С извращением отдельная такса. За оральный наценка.

Она оценивала стоимость шмоток на клиенте и поняла, что много здесь не срубишь, хотя если по рекомендации, а иначе сюда попадали редко, значит, дензнаки водятся. Вопрос только, какие услуги предоставлять. Опытным взглядом она прикинула физические данные. Замучить не замучает, но попотеть придется. Такие за свои деньги стараются.

Салон у мадам был образцовый. Не чета придорожным и даже гостиничным. Там клиенту предлагают не сервис, а черт-те что. Только в России проститутки ведут себя с клиентом так, словно он пустое место. Встречаются стахановки, но все без души. Иной раз клиент приходит не просто перепихнуться, а еще и душу разгрузить. На жену пожаловаться. Грех такого обрывать. Он, может, полгода копил, чтоб отдуплиться за всю мазуту, а ему плевок — отработала и пошла. Еще умелицы и время сэкономят, часы подкрутят. Так из минут складываются часы, из часов сутки, из суток денежки, которые, впрочем, в любой момент могут отнять. А все разговоры о том, что работают ради будущей семьи и проститутка на «пенсии» при потере формы лучшая и нежнейшая мать, — это для дураков.

— Может быть, — согласился Евгений, только теперь вспомнив, кого она ему напоминала.

Сходство с известной певицей действительно

было поразительное, разве что у этой бюст познатнее. Но он тут же отбросил эти мысли, лихорадочно придумывая, что же делать дальше. Чтобы потянуть время, спросил:

— А где у вас тут туалет?

— Выйдете, по коридору и направо, упретесь, только недолго, а то счетчик включен, — предупредила, подмигнув, девушка и, присев на тахту, уставилась в экран телевизора. — Или вы до утра останетесь?

Евгений медленно снял куртку и вышел из комнаты. Оказавшись в коридоре, определил, что квартира трехкомнатная. В одной комнате никого не оказалось, а из другой грубый голос с кавказским акцентом повелительно прохрипел:

— Ти что делаишь, идиёт, закрой двер...

Заглянув на кухню и убедившись, что и там никого нет, Евгений вернулся в комнату и тут же признался:

— Знаешь, я сегодня не готов...

— Ну а мне-то что, плати за час и сиди смотри телик. У тебя еще сорок минут, а нет — пойдем, я тебя провожу, — совершенно спокойно отреагировала девушка, продолжая смотреть телевизор.

— А за что платить-то? — удивился Калинкин, хотя прекрасно сознавал, за что.

— За то, что ножки мои увидел, вот за что... — зло ответила она и, соблазнительно потянувшись, встала.

Затем подошла к телефону и набрала номер, но,

не дожидаясь ответа, положила трубку. Вернулась на свое место.

Он едва успел надеть куртку, как послышался шум открываемой входной двери, и на пороге возник накачанный парень и располагающе улыбался.

— Обижает? — спросил он, с сожалением глядя на Евгения и демонстративно разминая пальцы рук.

— Да что-ты, наоборот, такой стеснительный. Вот только Ванечка ему не рассказал, что у нас тут главное — время, а не его настрой. Понимаешь, сомневается, что если раздумал, то все равно платить нужно.

— Не может быть, — засмеялся парень, увидя испуг на лице посетителя.

Он снисходительно похлопал Евгения по плечу и, повернувшись к девушке, сказал:

— Действительно, стеснительный. Но он уже все понял и сейчас заплатит. Правда?

Парень вновь начал поворачиваться к посетителю, чтобы увидеть обычные в таких случаях кивания головы в знак согласия. Тут боковая подсечка лишила опоры его ноги, и он тяжело рухнул на пол. Будучи неплохо натренированным, мгновенно пришел в себя и даже успел оторвать тело от пола, но удар ногой в живот вновь опрокинул его. Он уже плохо соображал от боли и попытался поднять голову, однако удар той же ногой в подбородк положил его на пол окончательно.

В карманах парня Калинкин обнаружил газовый пистолет и наручники, которые тут же защелкнул на его руках. Затем, с трудом оторвав тело от пола, положил рядом с онемевшей от увиденного девицей. Видя, что та вот-вот придет в себя и закричит, Евгений, дружелюбно похлопав ее по щеке, попросил:

— Только не кричи, пожалуйста. Ты же понимаешь, что он бы меня в покое не оставил, а денег у меня таких нет. На тебя же я не сержусь, раз у тебя почасовая оплата. Понимаю, всем кушать хочется.

Та от страха молча кивала в знак согласия, плотно прижавшись к стене и поджав под себя обнаженные ноги.

— Остальные в соседней квартире? — спросил Калинкин и, увидев положительный кивок головы, продолжил: — Сколько их там?

Девушка молчала...

— Иван, поднимайся ко мне, только осторожней, и позвони как обычно. А тому, что около, отвесь от меня, чтобы память была лучше, — связался по телефону с напарником Евгений и стал ждать.

Павлюченко появился на удивление быстро.

Вместе стало гораздо спокойнее. Иван, сидя на тахте рядом с лежащим парнем, выслушал рассказ напарника, после чего спросил:

— В той комнате что делать будем?

— Когда узнаем, кто тот кавказский орел, тогда и решим.

— Надо бы побыстрее... Ты что с этим-то сделал, — кивнул Иван на рядом лежащего. — Уже пора бы прийти в себя. Как удалось без единой царапины такого бугая завалить?

— Как удалось... Ну конечно же не в открытом поединке за руку и сердце вот этой прекрасной дамы.

Он же в полтора раза тяжелее меня. Скорее благодаря моей скромности и его самоуверенности. Главное — результат, — гордо выпрямился Калинкин над лежащим соперником. — А что касается его состояния, то давно уже притворяется. Слушает и думает, как наручники перекусить да освободиться. Правда, парень?

Судя по тому, как дрогнули веки лежащего, Евгений был прав.

Павлюченко приподнял бугая, посадил, прислонив к стенке.

— Ну давай поговорим, и будь мужиком покладистым, — попросил он, основательно встряхнув парня. — Кто в соседней квартире? Только быстро и честно, а то твой товарищ сказал неправду, а теперь в машине мучается.

— Там один охранник из клуба и мой напарник, да еще пара девчонок ждут клиентов, — открыв глаза, заговорил парень. — Ну, эти, которых привезли.

— А в соседней комнате что за джигит?

— Я его не видел, в той квартире был.

— А ты знаешь? — грозно спросил Иван у девицы.

— Это Георгий Вахтангович, он часто здесь бывает, — несмело ответила девица. — Да вы его не бойтесь, он уже старенький.

— А мы и не боимся.

— Это тебе виднее, — засмеялся Павлюченко. — Жень, иди скажи им, чтобы не высовывались из комнаты.

Калинкин нехотя вышел к коридор и постучался в соседнюю комнату. Он ожидал услышать оттуда, как и в прошлый раз, могучий гневный голос, но ошибся. Дверь открылась, и на пороге появился маленький, изрядно полинявший немолодой мужичок, в наспех накинутой рубашке. Кавказский рубильник был гордо задран кверху.

— В чем дело? Хотите, чтобы я Вячеслав Сергеевичу позвонил? — грозно пробасил он.

Откуда в таком теле такой голос, невольно подумал Евгений и, отстранив мужчину, вошел в комнату.

Там, не обращая внимания на прикрывающуюся простыней голую девицу, вырвал из телефона шнур и предупредил:

— Отдыхайте, не выходя из комнаты, и тогда все будет хорошо. А бабушка ваших внуков, Георгий Вахтангович, никогда не узнает, какой вы еще орел.

Вернувшись в комнату, Калинкин уже точно знал, что нужно делать дальше. Не раздумывая, поднес телефон девице и приказал набрать номер соседней квартиры, но, как только услышал длинные сигналы, положил трубку.

— Сейчас еще один друг придет. Ты жди его здесь, а я буду в другой комнате. Может, он туда сначала войдет, — предупредил Евгений и быстро вышел...

Парень сразу все понял, когда увидел перед собой Павлюченко, красноречиво держащего правую руку в кармане пиджака. Он было дернулся назад, но, столкнувшись с Калинкиным, успокоился.

— Подними руки и без глупостей, — предупредил

Иван, а потом добавил: — Ну что, Жень, остался еще один, последний...

Руслан в это время сидел в такой же комнате соседней квартиры. На такой же тахте лежали Илья и его подруга. Девушка уже пришла в себя и с нескрываемым испугом смотрела на охранника. Тот медленно и с наслаждением потягивал коньяк, закусывая его маленькими кусочками шоколада.

— Дай сигаретку, — попросил вдруг Илья, открыв глаза и пытаясь понять, где он.

— О! Очухался наконец. Сигареты не дам, дым плохо переношу, — ответил охранник и, покачав головой, вздохнул: — Что же ты, засранец, наделал?.. Мало себя, так еще и свою девчонку подставил...

Руслан несколько минут помолчал, предоставляя Илье возможность усвоить сказанное. Затем, усевшись поудобнее, отхлебнул из бокала и продолжил:

— Да... Интересная все-таки штука — жизнь. Вот ты неделю назад был нищим, потом стал богатым, относительно, конечно, но при деньгах. Теперь я бы на тебя и гроша ломаного не поставил.

— Но деньги-то пока у меня, — возразил Илья. — И у меня останутся.

— Да при чем тут ты? Если будешь молчать, то они достанутся какому-то счастливчику, нашедшему вдруг клад. В бетонных галошах на ногах да в холодной воде они тебе не понадобятся.

— К чему это ты, Руслан, клонишь, хочешь в долю войти?

— Ну уж нет... Не дай бог, — возразил охранник, отстраняясь в глубь кресла с выставленными вперед руками, как бы отгораживаясь от такой возможности.

В данный момент он не играл, а был как никогда искренен. Войдя в доверие к хозяину и заменив Сиривлю, он и не такие деньги заработает, а перспектива жить, дрожа от страха, не грела. Начав этот разговор, Руслан хотел одного — выслужиться перед Бартеньевым. Только бы узнать, где находятся деньги. И потому продолжал:

— Я бы на твоем месте сказал, где бабки, и глядишь, хотя бы девчонку спас... Нет, все-таки мальчишкой родиться лучше. Ну что тебе завтра будет, если не расскажешь?.. Ну дадут пару раз по яйцам, а потом по голове, и все... А вот девчонке твоей достанется. Она у тебя ничего, многие захотят попробовать. Ух, и оттарабанят ее ребята...

Илья вскочил с дивана, но охранник несильно, вполсилы, ударил в челюсть, и тот, вновь оказавшись на тахте, затих.

— Какая же ты сволочь, — чуть слышно произнесла Дина, смотря на него ненавидящим взглядом полураскрытых глаз.

— Что? — прошипел парень, склонившись над Диной. — Думаешь, я посмотрю на то, что меня просили не трогать тебя до завтра?

И, сильно рванув платье на груди девушки, Руслан обнажил ее до пояса. Потом, выпрямившись, с удовлетворением смотрел, как она трясущимися руками прикрывает свое тело. Он вновь взял бокал и только пригубил его, как раздался звонок, после чего одна из сидящих в соседней комнате девиц заговорила с вошедшим мужчиной. Время шло, а разговор не прекращался, становясь все громче и громче после вступления в него второй девицы. Клиент упорно не хотел соглашаться на предложенное и скандалил, требуя удовлетворить его желания.

Терпение Руслана кончилось, когда девицы потребовали мужчину удалиться, а тот не уходил, продолжая возмущаться. Он вскочил с кресла и бросился было к двери, но потом передумал, сочтя происходящее не своей заботой. Затем подошел к окну и посмотрел на улицу. Увиденное сначала удивило его, а затем испугало — машина, на которой должен был уехать напарник, одиноко стояла во дворе.

Схватив куртку, он бросился на улицу и в коридоре столкнулся со скандалящим Калинкиным.

— Ты чего девочек обижаешь, мужик? — спросил Руслан, оттесняя мощным телом Евгения к двери. — Давай, давай отсюда, опаздываю.

Раздумывать было некогда, парень однозначно спешил на улицу, где, без сомнения, обнаружит и машину, и напарника. Выпускать его было нельзя, но и задержать голыми руками не представлялось возможным. Момент внезапности упущен. Парень был готов к сопротивлению, и выхватить пистолет из-под застегнутой куртки он тоже не позволил бы. Да и стрелять в этом узком коридоре с бегающими девицами можно только в крайнем случае.

Все это Калинкин прекрасно понимал, упорно не желая покидать помещение, но он не учел главного — парень взвинчен увиденным из окна. Может быть, в другой ситуации Руслан просто бы вытеснил клиента на лестничную площадку и в худшем случае отвесил бы пинка под зад. Но сейчас упершийся в дверях мужик не в меру разозлил его. Недолго думая, коротким апперкотом левой нанес сильный удар по печени, отчего явно не ожидающий такого поворота событий клиент медленно начал оседать на пол. Второй удар, крюк правой, должен был достичь челюсти Калинкина, но пришелся в область левого глаза.

Руслан вызвал лифт, затащил мужика на площадку запасного выхода. Потом нажал кнопку звонка соседней квартиры и успел вбежать в закрывающуюся кабину лифта...

Павлюченко, услышав шум на лестнице и звонок, бросился к двери, но, пока возился с замком, никого там уже не застал. Напрасно потом давил на кнопку звонка и стучал кулаками в железную дверь соседней квартиры. Перепуганные девицы никого не хотели пускать. Ни клиента, ни соседа, ни работника налоговой полиции. Единственно, что Иван от них смог добиться, — это заверений, что клиент с охранником покинули квартиру. Этого было достаточно, чтобы он тотчас же устремился на улицу.

Цепочка отчетливо видных на свежем снегу следов вела в глубь двора к машине.

— Где напарник? — громко спросил Павлюченко пристегнутого наручниками к рулю парня.

Однако, увидев выражение его глаз на фоне посиневшего от холода лица, понял, что ничего не узнает. По оставленным следам было видно, что охранник подбегал к машине и, вероятно все взвесив, направился в сторону метро. Да и какая в данный момент разница, о чем они говорили и куда тот побежал. Все это, если понадобится, можно было попытаться узнать и позже. Главным становилось отсутствие Калинкина, который был где-то в доме, и Иван снова бросился к подъезду...

В подъезде обнаружил глотающую валидол пенсионерку, которой «посчастливилось» вызвать тот лифт, в котором лежал Калинкин.

Спустя час «Волга» Павлюченко опять подъезжала по абсолютно пустой улице к клубу. Рядом с водителем сидела Дина, а сзади — Калинкин с Ильей, между которыми разместился охранник.

— Да не три ты, хуже будет, — посоветовал он напарнику, увидев в зеркале заднего вида, что тот не может оставить в покое заплывший глаз, и, весело засмеявшись, добавил: — Если бы ты знал, как на майора сейчас похож.

## ГЛАВА 25

Просторное помещение подвала утопало в полумраке, ярким пятном в середине которого высвечивался ринг. Зрителей в этот вечер пришло больше обычного, и были заняты не только все кресла, но и принесено с десяток дополнительных стульев. А причиной такого интереса стало известие о предполагаемом сегодня необычном поединке. Этот бой должен был состояться после запланированных, как обычно, двух боев. Интерес подогревался еще и составом участников. Какой-то неизвестный майор вызывал на поединок победителя первой пары. Такого здесь еще не было.

Обычно на ринг выходили спортсмены, бывшие и настоящие, профессионалы и любители. Бывало, что иногда выпускали и омоновцев, и фээсбэшников, и милиционеров, но, как правило, бывших, и уж если из офицерского состава, то младшего. Сегодня же в роли темной лошадки выступал майор налоговой полиции. Что и говорить, большинство, если не все присутствующие, не испытывало к этому заведению особой симпатии в силу характера трудовой деятельности. Однако одно дело — отношение к заведению, другое — возможности его представителя.

Каждый, прежде всего, хотел выиграть, и такая неизвестность могла принести ощутимый результат. Это как на ипподроме. Втемную никто не ставит, и тогда выигрыш может оказаться один к тысяче. К тому же здесь было не принято афишировать свои ставки, разве только с одним-двумя присутствующими обсудить шансы участников.

Каждый из играющих из кожи вон лез, чтобы показать, что он играет ради спортивного интереса. Однако все прекрасно понимали, что любой в душе мечтает выиграть кругленькую сумму.

Словом, необычный участник вызывал не менее необычный интерес.

Борисыч и Михаил сидели, как всегда, рядом и отдыхали от волнений первого поединка. Бой между Кадетом и Ротангом закончился, как и ожидалось большинством зрителей, победой последнего. Нельзя сказать, что бой был неинтересным, но разница в мастерстве чувствовалась. Случайности на ринге были крайне редки.

Борисычу, как более старшему и солидному, досталось больше. По всему видно, как он перевозбужден увиденным. Пот градом струился по его чрезмерно полному, багровому лицу, и он не переставая вытирал его носовым платком, превратившимся в мокрую тряпку.

Михаил, в отличие от старшего товарища, был, наоборот, бледен. Внешне могло сложиться впечатление, что только что прошедший поединок нисколько не интересовал его. И не было этих безудержных выкриков, вскакиваний с места, поднятых рук и детских подпрыгиваний от радости после окончания. Волнение выдавало мелкое подрагивание его длинных пальцев, лежащих на подлокотниках кресел. Он молчал, прикидывая, сколько могла принести победа бойца, на которого поставил. Молчал еще и потому, что сосед только что продул пять тысяч баксов, не угадав победителя, и выражать свою радость публично было нескромно.

— Чего сидишь, словно в рот воды набрал, — обратился Борисыч к молодому товарищу. — Выиграл, так радуйся. Только деньги здесь, сам понимаешь, маленькие будут. Думаю, этот Ротанг, мог раньше на пару раундов управиться. Для нас старался. А вообще-то, вероятно, силы берег. Ему же еще раз сегодня на ринг выходить.

— А чего же ты, Борисыч, на него не ставил, раз все наперед знал?

— Да чего я ставил-то... Пять штук баксов. Зато удовольствия сколько. Да и всякое могло случиться. Помнишь, какой удар пропустил под конец этот Ротанг. Слушай, а что означает Ротанг? Это то, что в московских прудах придурки удочками ловят?

— Не, Борисыч, ловят ротанов. Ротанг — это вид пальмы, из нее хорошую мебель делают, иногда и дома строят, — ответил довольный своими знаниями Михаил, невольно поправив при этом очки.

— Ни хрена себе пальмочка. Странные имена выбирают наши гладиаторы. Ему бы баобабом назваться, раз уж тропики любит, а он Ротангом. А ты откуда все знаешь? — удивился Борисыч, с уважением поглядев на сидящего рядом.

— Да я же в другой жизни биофак МГУ закончил и кандидатскую там же защитил, — скромно, но как отличительный знак пояснил Михаил.

Вращался он среди дерьма потому, что тут вращались деньги. А деньги, как возвестил один римский император, вводя налог на отхожие места, не пахнут.

— Кого только в нашем бизнесе не встретишь, — заметил Борисыч, а затем, кивнув на ринг, добавил: — Вон на поединки и майоры стали выходить. Тоже, вероятно, не от хорошей жизни. Да... Не просто будет ему с этим Ротангом. Боец, что называется, от Бога. Видно, наш Бартеньев не жалует налоговиков, коль такую пару первой выпустил. На кого ставить-то в третьем бою будем?

Михаил раскрыл программку сегодняшних боев и стал изучать впечатанные позже данные бойца, выступающего под кличкой Мент. Рост его был такой же, как и у Ротанга, а вес почти на десять килограммов больше. Зато в возрасте имелась разница в более чем полтора десятка лет, не в пользу Мента.

— Да... Тот самый случай, когда возраст помеха, — произнес Борисыч, словно читая мысли соседа. — Хотя черт его знает, чему их там в полиции учат.

— Чему бы ни учили, но мне кажется, шансов у него нет, — заметил Михаил. — Зря он сюда суется. Деньги просто так никто сейчас не платит. Я поставлю на Ротанга, а ты?

— А я еще, пожалуй, штуку проиграю... А может, и две, если сейчас во втором бое выиграю. Давай смотреть...

Оба лукавили. Несмотря на тайну вкладов, как в Сбербанке или у врача, тут тоже за определенный процент с выигрыша можно было получить дополнительную информацию. Это ведь не казино. Там ты у заведения выигрываешь, здесь же заведение берет себе процент с общей суммы вложенных в бои денег. Чем больше вложат, тем больше получат организаторы. Поэтому вокруг поединков искусственно нагнеталась атмосфера разноречивых слухов, и «официальной информации», напечатанной в программке, не особенно-то верили, разве что самые наивные новички. Но здесь такие бывали редко. Так что деньги тасовались между собой, и сами турниры были не чем иным, как демонстрацией и борьбой престижа.

Другое дело, когда дрались смертники. Правда, никто и никогда такого официально не объявлял.

Просто подбирали парня. Бывшего спеца. Желательно сирот или вконец опустившихся. Тех в две недели ставили на ноги. Кормили на убой. Предоставляли зал для тренировок. А потом — пошел на ринг. Таких забивали насмерть...

Поединок выдался неинтересным. И хотя на этот раз на ринге не было ярко выраженного фаворита, ребята не смогли сделать бой интересным. Рисковать никто не хотел. Равенство в мастерстве не допускало эффектных атак, удачных приемов, неожиданных поворотов, что так украшает бой.

Обливаясь по́том, двое здоровых парней долго топтались на месте под возмущенные крики и свист зрителей. В конце концов бой прекратили. Любительские победы по очкам, да еще с незначительной разницей, на этом ринге вызывали возмущение. Публика щедро платила и хотела иметь соответствующее зрелище.

Бой был провален полностью.

Бартеньев не находил себе места, то и дело ловя пренебрежительные взгляды разочарованных зрителей. Слава богу, что сегодня на этом не заканчивались поединки. Нужно было как можно скорее начинать третий бой...

Уже знакомый публике Ротанг вышел на ринг первым. Высокий, атлетически сложенный брюнет с сильно развитой мускулатурой не мог не нравиться внешне. Красота и молодость всегда вызывают восторг. Здесь в зале сидели люди в том возрасте, когда этому уже не завидовали, а восхищались.

К тому же парень очень хорошо показал себя в

первом сегодняшнем поединке. И это тоже не было забыто. Постепенно неприятный осадок от предыдущего боя сменялся волнением предстоящего поединка. Нарастающий шум и одобрительные выкрики были тому подтверждением...

Зал на какое-то время затих, когда на ринге появился Никита. Имея высокий рост и обладая мощным торсом, он не выглядел мальчиком для битья, однако не мог смотреться на равных со своим молодым противником. Абсолютное безразличие к происходящему и отсутствие желания драться с парнем чуть старше его сына оценивались публикой как неуверенность и трусость. Эти качества здесь не приветствовались, и зрители тут же стали выражать эмоции возгласами и свистом. Никто из них не хотел стать свидетелем еще одного бесцветного поединка или безропотного избиения. К тому же многочисленные ссадины говорили о неумении бойца защищаться. Непонимание, зачем вообще такой Мент вышел на ринг, перерастало в возмущение. Все уже воспринималось как вызов системе, что требовало наказания.

Удар гонга возвестил о начале поединка. Шум голосов мгновенно стих — публика дождалась начала зрелища.

Ротанг упруго выпрыгнул на середину ринга, играя рельефной мускулатурой. Серия стремительных ударов в воздух перед собой с подскоком, обозначающая атаку, вызвала одобрительные возгласы публики.

Никита же стоял, прижавшись спиной к канатам,

не решаясь начать участвовать в спектакле. Он понимал, что ни свет, ни внимание публики, ни ставки, ни спортивный интерес не делали его главным действующим лицом. Он и его соперник выступали марионетками. Подлинным хозяином были деньги, алчность, чванство и нереализованные комплексы присутствующих.

— Ротанг, давай! — раздался мощный выкрик, и тот в боксерской стойке начал приближаться к Никите.

Быстрый удар в голову не достиг цели. Орел в последний момент успел увернуться и отскочил от канатов на середину ринга. Здесь было безопаснее, так как появлялась возможность маневра. Главной задачей теперь стало сохранение дистанции и внимательное наблюдение за действиями противника. Судя по манере передвижения по рингу, Никита понял, что перед ним кикбоксер. Он теперь примерно знал, с чем ему предстоит столкнуться, но как лучше повести бой с таким противником, представлял себе плохо. Пока ему удавалось уходить от атак противника, сохраняя дальнюю дистанцию. Но это пока. Еще немного, и парень начнет активно сближаться, и тогда будет труднее уходить от ударов.

Ротанг постоянно атаковал, однако на сближение не шел. Ему было обещано двойное вознаграждение за красивый бой и эффектную концовку. Он прекрасно понимал, что противник подготовлен гораздо слабее и победа будет за ним. Нужно просто быть внимательным и как-нибудь не подставиться. Красивый поединок, он может быть, только пока есть чем дышать и пока соображаешь, что делаешь, а не работаешь как автомат. Что ж, если этот мужик надеется продержаться на длинной дистанции, пусть будет так. Главное, чтобы если и не работал, так хотя бы подыгрывал.

Ротанг сделал шаг вперед левой, и его правая нога пошла по дуге.

Никита успел уйти на шаг назад с отклонением туловища, и нога противника пронеслась в сантиметре от низа его живота. А ведь в кикбоксинге запрещены болевые приемы, удары ниже пояса и добивание противника, почему-то вспомнил Никита и невольно улыбнулся.

Ротанг заметил эту улыбку и принял ее на свой счет как оценку своих действий. Что ж, подумал он и попытался сократить дистанцию, используя подсечку. И тут же хотел нанести удар ногой в голову.

Однако и на этот раз Никита, подняв ногу и пропустив под ней подсекающую ногу противника, оказался на высоте. К удару в голову он не был готов, но нога просто не дошла до него. Пронесло, успел он подумать, как кулак парня вскользь прошелся по уже разбитой губе. Сплюнув появившуюся кровь, озверевший Никита неожиданно бросился на Ротанга и опрокинул его на пол ринга.

— Так его, Мент, мочи!.. — раздалось сбоку.

Одобрительный гул голосов дал понять майору, что не вся публика желает его поражения. Однако он чуть затянул с броском, а когда бросился на лежащего противника, то тот успел выставить ногу и перебросить его через себя. Молодость и опыт подобных поединков сказались и на этот раз.

Никита еще лежал на полу, когда Ротанг одним гибким движением вскочил на ноги и стал ждать. На то они и бои без правил, что можно было одним ударом ноги по лежащему противнику завершить поединок. Но парень знал, что от него ждут красивого боя. Он не стал бить сразу, как Орел начал подниматься, а ударил, когда тот почти поднялся. Ударил картинно, подпрыгнув и перевернувшись в воздухе.

Никита опять рухнул на пол, но нашел в себе силы подняться. Теперь у него были разбиты не только губы. Кровь текла из носа, а рассеченная бровь закрывала глаза, мешая видеть соперника.

— Ну что, Мент?.. Это тебе не пьяных у метро гонять, — хохотал кто-то из зрителей.

— Добивай его! — неслось с разных сторон.

Парень чувствовал, что это делать еще рано. Нужно было дать возможность майору проявить себя. Он сознательно подошел почти вплотную, а когда тот бросился вперед, изящно ушел с линии атаки.

Никита пролетел мимо и упал на канаты. Оттолкнувшись от них, он снова бросился на парня, но тот опять с легкостью отпрянул в сторону.

— Ротанг, возьми красную тряпку, — выкрикнул кто-то из зрителей, и всеобщий хохот наполнил помещение.

Все это действительно напоминало испанскую корриду. Но здесь вместо быка был человек, а матадор забыл про это, заигрывая с публикой. И в следующий раз Ротанг так же легко ушел с вращением в сторону, оставив соперника на миг за спиной. Страшный круговой удар правой руки майора пришелся парню чуть ниже уха. Он зашатался, потеряв ориентацию, и тут же, пропустив прямой в лицо и крюк в печень, повалился на пол.

— Милиция, давай! — заорали в зале.

Свист, топот ног, крики слились в единый ор, где трудно было отличить радость от огорчения.

Кто был точно доволен происходящим, так это Бартеньев. На кону стояла репутация его заведения, и он был благодарен майору за стойкость. Результат боя был уже неважен. Главное, он получился...

Противники вновь стояли друг против друга. Теперь в крови лица обоих.

Прямой правый Никиты был отбит предплечьем, но и ответный удар пришелся в подставленное плечо. Следующий обмен ударами также не принес преимущества ни одному из противников. Так они и крутились в центре ринга, обмениваясь ударами и внимательно следя друг за другом. Каждый подготавливал удар, способный изменить ход поединка. Арсенал Ротанга был богаче, и выглядел он свежее. Никите же всегда удавалось уходить или удачно ставить блоки под удары соперника. Он был тяжелее, и это помогало оставаться на ногах, иногда и пропуская удары. Он понимал, что, только обороняясь, проиграет, но проигрывать не имел права из-за сына. Нужно было активно атаковать, но сил не было.

Ротанг, подпрыгнув, перешел с дальней на среднюю дистанцию и ударом в прыжке пробил оборону. Нога достала голову Никиты, и он повалился на пол.

— Бей мента!! — кричали одни, радостно подпрыгивая с поднятыми руками.

— Вставай, мент поганый! — кричали другие, вскочив с мест и яростно тряся поднятыми кулаками.

Кто-то просто сидел, молча кивая головой, и трудно было понять, на чьей он стороне.

Никита уже не сопротивлялся. Он лежал, поджав колени и закрывая голову руками. Ротанг бегал вокруг и под одобрительные крики публики наносил удары ногой, словно по футбольному мячу. Но стоило ему на миг задержать ногу, как Никита ухитрился перехватить ее и свалить противника на пол. Он навалился, пытаясь дотянуться до горла. Однако парень, вывернув кисть, освободился от захвата и ударом головы сильно въехал майору по носу. Острая боль лишила Орла возможности воспринимать происходящее. Он очнулся, осыпаемый ударами с обеих рук. И хотя это были удары обессилевшего человека, возможности противопоставить им, кроме глухой защиты, не было. Часть ударов проходила сквозь защиту, а ответить тем же не было сил.

— Мента на пол! Мента на пол, — скандировала публика, желающая победы Ротангу.

Немногочисленные поклонники Мента молчали.

Они видели, как парень месит беспомощного противника, и понимали, что конец близок.

Развязка наступила быстрее, чем предполагали. В распахнувшуюся дверь один за другим вбежали вооруженные люди в черных комбинезонах и такого же цвета масках. Среди них своей штатской одеждой выделялись подчиненные майора.

В замкнутом пространстве подвала громко прозвучал усиленный мегафоном голос:

— Всем на пол! Лицом вниз! При сопротивлении — стреляем!

Ротанг, прекратив бой, растерянно смотрел на заполняющих подвал вооруженных людей. Он, покачиваясь, пошел в свой угол, когда на его плечо легла рука противника. Развернувшись, парень увидел улыбающегося разбитым лицом Никиту.

— Подожди, мужик, еще не все, — окровавленными губами произнес тот.

Собрав последние силы, майор нанес удар, в который вложил всю ненависть к происходящему. Парень рухнул на пол, но нашел в себе силы приподнять голову, которая вновь оказалась на полу, прижатая ногой Никиты.

— Налоговая полиция! — прохрипел, задыхаясь, Орел. — Ты арестован!

В следующую минуту силы покинули майора, и он, вероятно, упал бы рядом с повергнутым соперником, но коллеги по отделу подхватили его.

— Ты в порядке? Как себя чувствуешь? — спросила Ольга, не стесняясь льющихся по щекам слез.

— Как пожарный на первом пожаре, — сообщил Никита и потерял сознание.

## ГЛАВА 26

Сиривля открыл глаза и не сразу сообразил, где находится. Только когда повнимательнее присмотрелся к деревянной обивке стен, понял, что проснулся в своем кабинете на даче. И сразу вспомнил все. Да, он пережил на крыше Экспоцентра такое, что действительно врагу не пожелаешь. Его второй раз не то что провели вокруг пальца, а перевернули кверху ногами и вставили в ушат с дерьмом. Иначе свое положение и не воспринимал. Того, кто это сделал, он еще поищет, а сейчас надо было думать о собственной шкуре и тех, кто был рядом. Вчера прямо с крыши он отправился с ребятами к себе на дачу. В это время здесь было безлюдно. Сторож с собаками да несколько зимующих пенсионеров на весь поселок. Незамеченным никто появиться не может. Не то что в городе.

Жене с детьми велел срочно уехать к матери и ждать там, а сам залег, чтобы прийти в себя и осмотреться. Когда и кто здесь появятся, он, разумеется, не знал, но что появится, не сомневался. Так уж лучше здесь разбираться, в чистом поле, тем более есть где спрятаться и чем разбираться. «Я так и думал, Сережа... Приезжай, не там ищешь...» — который раз за последнее время вспомнил Сиривля последние слова Бартеньева. Как ласково стелет, гад. Ничего особенного сказано вроде бы и не было, но голос, которым произнесено... Голос спокойного, уверенного в себе человека, говорившего так, как будто ничего не произошло. Не сто тысяч долларов уплыли, а сто рублей.

Сергей Павлович слишком хорошо знал своего, теперь уже, вероятно, бывшего хозяина, чтобы ничего не заподозрить за этими словами. Все заверения, что деньги — не главное, а главное — принцип, — для дураков. Уж кто-кто, а Вячеслав Сергеевич знал, как зарабатывать и как считать...

«Мне наплевать на эти пятьдесят штук», — кричал тогда Бартеньев. Как же, уж кто-кто, а ты наплюешь... За десятку, если не в дело, удавишься...

Сиривля вспомнил, как прошлым летом с ребятами привез на «точку» старого приятеля хозяина. Тот был должен что-то около двадцати тысяч баксов и не смог вовремя отдать.

— Что же ты, Сашок, так поступаешь с другом детства? Брал на три месяца, а уже четвертый на исходе, — задал тогда первый вопрос Бартеньев, усевшись на раскладной стульчик, специально привезенный для разговора с удобством.

— Ну ты же, Слава, знаешь, как трудно все предугадать. Все делаю, чтобы быстрее вернуть, — заверил приятель. — Ты не подумай.

— Я, Сашок, уже две недели назад об этом думать перестал, а сейчас все решил. Потому-то мы и здесь. И за себя подумал, и за тебя. Трудно тебе будет двадцать две штуки отдать, если нет запаса, — и, не дожидаясь вопроса, пояснил: — Десять процентов за месяц, согласись, по-божески. Дачи у тебя нет. Машина отечественная. Помнишь, когда деньги брал, говорил, что в крайнем случае квартиру можно будет продать?

— Так это же я говорил про тот случай, если совсем припрет.

— А тебя, считаешь, еще не приперло? Ну ты нахал. Я месяц жду, живу в неведении, а тебя, оказывается, — не приперло. Ты за кого меня, засранец, держишь?.. Думаешь, если вместе за партой сидели и девчонок тискали, то можно так поступать?

Бартеньев встал. Обошел стоящего, виновато потупившего взор товарища. Затем, с укоризной покивав головой, добавил:

— До седых волос дожил, а не усвоил, что дружба дружбой, а табачок, сам понимаешь, врозь... Словом, чтобы через неделю отдал. Понял?

— Слава, пойми, у меня же жена не совсем здорова и две взрослые дочери. Ты же их прекрасно знаешь... Ну что нам, в однокомнатную квартиру переезжать? Сам понимаешь...

— Что?! — взревел Вячеслав Сергеевич. — А в коммуналку не хочешь? Своих толстожопых кошёлок не хочешь на Тверскую послать, чтобы жирок пострясли и папочку выручили?

— Бартеньев, не будь скотиной... Деньги я тебе отдам на этой же неделе. Под любые проценты займу, чтобы тебя больше не видеть. А моей семьи не касайся, понял... — вдруг проговорил приятель, начав заикаться от волнения и обиды, и потом, вероятно уже ничего не соображая, добавил: — Вспомни, сколько ты, сволочь, у меня занимал в свое время? Мало, видно, тебя мы в детстве лупили.

Напоминание о детских разборках взбесили хозяина. Побагровев от гнева, он начал избивать не сопротивлявшегося приятеля. Будучи крупным мужчиной, наносил неумелые, но по-мужицки злые, беспорядочные удары руками и ногами, не осознавая их последствий.

Приятель, вероятно, был бы забит до смерти, не оттащи его тогда Сиривля. Остыв, он, совершенно спокойно глядя на лежащего избитого в кровь товарища, приказал держать его здесь. Потом еще неделю, пока жена собирала деньги, тот находился на «точке». Так они называли огромный подвал заброшенного сельхозкооператорами складского помещения недалеко от города. Одному Богу известно, сколько натерпелся этот школьный товарищ за время, проведенное в таком холодильнике среди зловонных луж и бегающих стаями крыс, на черном хлебе и воде.

«Ты по черепу своему лысому постучи, рахит», — вспомнил опять Сергей Павлович разговор с Бартеньевым и удивился, как мог терпеть такое от этого «павлина». Но отогнал эти мысли — не хотел растравлять себя. Раз стерпел, значит, заслужил... Заслужил не потому, что был виноват, а потому, что смалодушничал и позволил такое по отношению к себе.

Он сам себе удивлялся порой, во время работы в клубе, как мог этот Бартеньев такое с ним творить. Как он мог быть таким кроликом около этого удава. Что же случилось с ним за последние годы? Куда девалась принципиальность? Собственно, вся его сознательная жизнь была проявлением этой принципиальности с последующими последствиями. Еще в начале спортивной карьеры первый раз столкнулся с необходимостью выбора...

Тогда в финале юношеских соревнований на первенство РСФСР, или, как тогда уже говорили, России, в столице одной из автономных республик он должен был встретиться с представителем коренного населения. Его тренер, которого Сергей обожествлял и которому во всем подражал, накануне матча вызвал его вечером к себе. В просторном номере много лет назад построенной гостиницы сидели его наставник и руководитель делегации. На столе стояли бутылки с кефиром и булочки, подаваемые в ресторане на ужин. Однако, судя по оставшимся на тарелке надкусанным кускам колбасы, шкуркам от соленого сала и порозовевшим лицам ветеранов спорта, здесь пили не только кефир.

— Ну что, Сергей, как настроение, готов драться за победу? — спросил его тренер, наливая в стакан тягучий кефир.

— Конечно, готов. Последний бой, он трудный самый.

— Это верно. А у тебя это первые большие соревнования?

— Да. Я первый раз на России выступаю, — не понимая, почему об этом спрашивают люди, которым про его спортивные достижения все известо от «а» до «я».

— Видишь, Захарыч, каких бойцов воспитываем, без опыта, а сразу в дамки.

— Что и говорить, скромностью наши ребята не отличаются, — ответил руководитель делегации, не замечая юноши. — Им главное — первое место завоевать. А спорт — это дело все же коллективное. Главное — интересы команды.

— Правильно говоришь, Захарыч. Мы дружнее были и добивались большего, — вставил тренер.

— А невдомек, что быстрые успехи мало кому сослужили хорошую службу, — никак не среагировав на замечание, продолжал тот. — Можно же уступить, тем более когда команда уже обеспечила себе первое место. Зато никто думать не будет, что результат случайный. А второе место — это тоже успех.

— Еще какой успех. Да и неплохо бы доставить радость хозяевам соревнований. А то ни одного первого места, хотя и ребята неплохие, — опять заговорил тренер и протянул тарелку с конфетами, оставшимися от ужина. — Да ты садись, Сергей, угощайся.

Так после невинных вопросов о самочувствии и настрое тренер напрямую вывел на то, что их команда уже заняла первое место и неплохо было бы доставить радость хозяевам чемпионата. Первое место их представителя послужит стимулом для еще большего развития в республике любимого нами вида спорта. А что может быть лучше для истинного спортсмена?

— Как думаешь, Сергей?

— Может быть, вы и правы. Я не знаю... — ушел от ответа Сергей.

— Ну и ладно. Иди отдыхай.

Юный Сережа тогда решил, что не понял наставника. С неприятным осадком от разговора добрел до своего номера, где жил с легковесом. Тот сегодня закончил выступления, так как проиграл по очкам и завоевал третье место. Однако в номере вместо коллеги ждали двое мужчин — журналисты местной газеты. Один из них начал задавать вопросы, а другой записывал, то и дело поглядывая на золотые часы с таким же браслетом.

— Нравятся? — спросил он у юноши.

— Хорошие часики, — искренне ответил Сергей и приготовился к очередному вопросу.

Спустя несколько минут, когда журналисты ушли, а хозяин прилег на кровать, дверь без стука открылась, и на пороге появился тот, который записывал интервью.

— Если хочешь такие, — показав на часы, предложил он, — завтра проиграй...

Негодующий от такого предложения, юноша бросился к тренеру. Мужики продолжали сидеть, обсуждая возникшие в ходе соревнований проблемы.

— Ну здесь тебе надо самому решать, что лучше, — сделал паузу тренер. — Второе место — и такие часы или первое — с его дешевой медалью.

Сергей молча выслушал советы этих бывших спортсменов, как постараться за недолгую спортивную карьеру украсить свою квартиру не только медалями и кубками, но и еще кое-чем, чтобы в старости уютно было. Только когда юноша вышел в коридор, на глазах выступили слезы.

А в это время тренер спрашивал руководителя делегации:

— Слушай, Захарыч, а ты не считаешь, что мы с тобой законченные суки?

— Есть немного, но на пенсию нам не прожить, мы же в заслуженные мастера не выбились.

— Это верно... — согласился наставник. — А может, потому и не выбились, что не такими были? А Сережка станет...

Перед началом боя тренер был уже более категоричен и напрямую заявил, что будет лучше, если он проиграет.

Рев зрителей при появлении его соперника сразу показал, на чьей стороне будет их поддержка. Местный парень был хорош и первый раунд прошел в равной борьбе. Второй — при незначительном преимуществе гостя. Рефери тем не менее дважды открывал счет, фиксируя нокдаун. Ничего не понимающий Сергей стоял и смотрел то на стоящего перед ним судью, то на своего тренера. Тот делал вид, что ничего не происходит. Юный Сиривля понимал, что стоит ему еще раз сойтись в ближнем бою, как последует третья остановка и бой прекратят. Оставшиеся полторы минуты Сергей уклонялся от боя, получая замечания за пассивность, но продержался.

В перерыве между раундами тренер советовал активнее вступать в ближний бой, сбивая дыхание, и использовать хорошо поставленный крюк левой. Боец молчал, не скрывая, что не слушает его. Тогда наставник просто отошел, с пренебрежением посматривая на своего грустного воспитанника.

Зато ликовала публика. Сияли довольной улыбкой лица почетных зрителей, среди которых выделялись активностью те двое корреспондентов, что предлагали ему часы.

Один из них еще перед началом поединка, постучав по руке, дал понять, что уговор в силе. Сам соперник, сидящий в противоположном углу, был скромен, но чувствовалось, что с нетерпением ждет начала последнего раунда. Он жаждал победы и, когда выскочил на середину ринга, был в ней уверен, как и публика.

Сергей сорвал местный праздник. Нокауты среди юношей бывают не часто. И здесь его не было. Но с такой яростью гость доказывал свою правоту и превосходство над противником, что не оставил и грамма сомнения в исходе поединка с самого начала раунда. Бой, несмотря на все ухищрения судьи, пришлось прекратить за явным преимуществом.

Тренер Сергею этого не простил, как не простил тренеру и воспитанник, который в последующем делал все, чтобы фамилия тренера не стояла рядом с фамилией будущего чемпиона Европы.

Так начиналась спортивная карьера, и закончилась она почти так же.

Только на ринг тогда должен был выйти не юноша-второразрядник, а заслуженный мастер спорта Сиривля Сергей Павлович.

На этот раз его не вызвали, а пришли в его номер Тогда убеждали, что его личная победа ничего не стоит по сравнению с командным пьедесталом. Именно благодаря ему тот весь сможет стать социалистическим. И это послужит ярким примером возможностей стран соцлагеря в спортивном мире. А ему пора подумать о хорошем месте в Спорткомитете. Братушка-соперник, видно, тоже надеялся на политическую сознательность парня в красной майке. Только тот еще со школьной скамьи не мог понять, почему на славной Шипке стояли вместе, а уже через четыре, а затем и еще через два десятка лет воевали по разные стороны. Противника он завалил уже во втором раунде, завалил чисто, без вопросов. А к нему вопросов было после этого столько, что пришлось в результате покинуть ринг и перейти на тренерскую работу...

Нарастающий звук работающего трактора прервал воспоминания. Видимо, тракторист перед началом основной работы приехал почистить проезды между домами от выпавшего за ночь снега. Это обрадовало Сергея Павловича. Вчера вечером пришлось оставить машины у въезда в дачный поселок, и это было в данной ситуации крайне опасно.

Он встал и подошел к стоящему в углу старому шкафу. Выдвинув до конца нижний ящик и опустившись на колени, запустил руку внутрь. Раздался щелчок задвижки, и ящик вышел еще на десяток сантиметров вперед, открыв скрытую полость за задней стенкой. Оттуда были извлечены два промасленных свертка, а ящик задвинут.

— Ребята, подъем. Уже семь часов, а вы дрыхните, как на курорте, — громко прокричал он после того, как развернул на столе свертки.

Помповое ружье, видавшая виды вертикалка и «парабеллум» лежали поверх промасленной бумаги. Квартет товарищей по несчастью выстроился вокруг стола, с интересом рассматривая заспанными глазами оружие.

— Да, попарились мы, мужики, в баньке. Видит бог, не хотел я на своей даче с вами по этому поводу собираться. Так уж получилось... Я думаю, нас не оставят в покое, потому не будем ждать, когда нас возьмут тепленькими. Вот весь арсенал плюс мой «макаров». Так что одному из вас придется добывать винтовку в бою.

Один из присутствующих не утерпел и, взяв в руки пистолет, оценивающе взвесил на ладони.

— Ни хрена себе! Откуда это у тебя, Палыч? Только в кино такие видел. Удобную форму фрицы придумали.

Стоящий рядом взял пистолет в свою руку, осмотрел со всех сторон, отвернувшись, прицелился и восхищенно произнес:

— Классная машинка! Какие фрицы? «Парабеллум» образца 1908 года. Голландия. Калибр — девять миллиметров. Емкость магазина — восемь патронов. Прицельная дальность — не знаю. Знаю, что конструкция очень надежная, а точность и кучность боя высокие. Для полной разборки не требуется инструментов.

— Вот ты, Денис, бери его, раз такой грамотный, и с Алексеем топайте за машинами. Дорогу, кажется, почистили, — распорядился Сиривля и, протянув второму парню свой «макаров», добавил: — Тоже девять и восемь, а прицельная дальность — пятьдесят метров. Прошу не забыть, для первого выстрела необходимо передернуть затвор.

— Это у нас автоматом идет, пришлось попользоваться, — похвалился Алексей, убирая пистолет за пояс.

— Только, ребята, этим пользоваться в крайнем случае, сами понимаете, не в лесу, — попросил Сергей Павлович. — Ну идите, а мы пока ружья соберем, завтрак приготовим да покумекаем, что к чему, пока враг дремлет...

В этом Сиривля ошибался.

Руслан в это время находился на пути к дачному поселку. Подъехав на джипе к воротам, остановился и вышел. Заглянув в щель, он сразу узнал машину бывшего шефа, стоящую около домика сторожей при въезде в поселок. Парень уже хотел развернуться, как услышал приветствие вышедшего на шум машины сторожа.

— Привет, папаша, — ответил охранник. — Машин-то сколько?! И все твои?

— Мои, пока я за них отвечаю. Месяц никого не было, а вчера эти приехали, — сторож кивнул на пару стоящих иномарок. — Теперь ты. А в какой дом приехал-то? Тоже к Сергей Палычу?

— Угу, а ты как угадал-то?

— Да к нему и еще вон к тем, — он указал на несколько больших трехэтажных особняков, стоящих рядом, — на таких машинах только приезжают. А ты-то на своем тракторе проедешь и по снегу, не то что эти. А нет, сейчас настоящий трактор все прочистит. Слышишь, работает.

— Вот и хорошо. Пока в поселок сгоняю, а приеду, уже и расчистят. Магазин-то у вас во сколько открывают? — спросил, подмигнув, парень.

— Да к восьми мужики уже собираются. Только ты лучше «Жирика» бери, а то «Русская» — левая.

— Угу, — понимающе кивнул головой Руслан и, сделав несколько шагов к машине, обернулся. — А сколько мужиков приехало? А то, сколь покупать, не знаю.

— С Сергей Палычем пятеро...

Пятеро, подумал охранник и усмехнулся. Не соврал, выходит, когда сказал хозяину, что их не меньше пяти. Отъехав от ворот, он поехал вдоль ограждения поселка. Его вездеход легко шел по проложенной когда-то бульдозером дороге. Напротив дачи Сиривли остановился и посмотрел в щель. Забор вокруг глухой и высокий, так что отсюда можно наблюдать только за калиткой.

Он опоздал на несколько минут и не увидел, как оттуда выходили двое молодых мужчин, которых бы сразу узнал, так как видел несколько дней назад. Те почти бегом добрались до своих машин и забежали к сторожу, чтобы сказать, что забирают машины.

— Забирайте, — разрешил сторож, с удовольствием принимая вознаграждение за присмотр, — да закуску готовьте. К вам еще один приехал, сейчас в поселок за бутылкой помчался.

— Ну... А мы его вчера ждали, — радостно воскликнул Денис. — Леха, ты давай ребят предупреди, пусть со столом поспешат, а я за хлебом смотаюсь. Если с этим другом встречусь, то постараюсь вместе приехать.

Машина медленно ехала по следам вседорожника, пока тот не свернул за угол забора. О том, чтобы дальше ехать за ним, нечего было и думать. Остановив машину на обочине, он залез в багажник, достал буксировочный фал и монтировку. Затем, спрятав все это под куртку, медленно пошел по следам, стараясь держаться как можно ближе к забору.

Джип пока еще не было видно. Он находился где-то за бугром. Дорога начала уходить вверх, и он пошел медленнее, понимая, что в какой-то момент увидит машину и будет виден сам. Снег скрипел под ногами. Приходилось постоянно останавливаться, чтобы не прослушать шум мотора, в случае если парень будет возвращаться.

Когда он увидел владельца джипа, тот стоял на капоте машины метрах в двухстах и присев наблюдал, что делается по другую сторону забора. Нужно было переходить к кустам, чтобы, прикрываясь ими, незамеченным подойти на нужное расстояние. Решение попытаться повязать героя возникло у него сразу, как только услышал, что тот один. Конечно, были опасения. Сторож мог и не заметить еще кого-то. Но он решил рискнуть. Их было слишком мало, чтобы чувствовать себя в безопасности, пусть даже в кирпичном доме и за глухим забором. Нужно знать, к чему готовиться, и этот парень мог прояснить ситуацию.

В кустах снег лежал толстым слоем, и передвигаться было трудно. К тому же, чтобы ломиться сквозь кусты и не шуметь, приходилось огибать их, значительно удлинняя путь. Около Руслана он оказался, заметно устав, но передохнуть времени не было. Тот в любую минуту мог уехать, и тогда все его усилия были бы напрасны. К тому же этот парень мог опять встретиться со сторожем.

Денис метрах в двадцати понял, что ближе неуслышанным не подойти. Достав пистолет, он лихорадочно соображал, что же делать дальше. Не было никакой гарантии, что тот вдруг не обернется и не заметит его среди голых ветвей. Случай. Он может служить и добру и злу. Может одному помочь, а другому принести неприятности.

Появившийся трактор в данном случае помог Денису. Громко ревя в тишине утра мощным мотором, он прошел по другую сторону забора рядом с Русланом.

Руслан, чтобы не быть замеченным трактористом, в последний момент спрыгнул с капота. Несколько раз присел, чтобы размять затекшие ноги, а когда выпрямился, почувствовал упершийся в спину ствол пистолета. Почему-то люди всегда чувствуют, чем в них уперлись.

— Подними руки вверх, — услышал Руслан команду. — И только без шуток.

Руслан спокойно положил руки на неоструганные доски забора и, расставив ноги, дал себя обыскать. Его занимала одна мысль. То, что у стоящего сзади парня пистолет, он понял по острому стволу. А раз так, то наиболее вероятно газовый. Очень уж мало настоящих осталось. Конечно, в умелых руках и это не игрушка, но шансов прибавлялось. Он настолько уверовал в то, что пистолет газовый, что даже определил направление ветра и ждал момента.

— Теперь медленно к машине, — послышалась команда.

Руслан послушно начал выполнять приказ, не делая никаких попыток к сопротивлению, чем несколько притупил бдительность Дениса. Он не спеша вышел на дорогу, но, сделав пару шагов, вдруг резко кинул корпус в сторону. Мгновенно развернувшись, вцепился двумя руками в кисть, державшую пистолет, и, выкручивая ее, провел бросок. Пистолет оказался на снегу вместе с его владельцем и задержанным. Охранник, отпустив противника, бросился к пистолету, но схватить его не успел, так как Денис сумел отбросить его носком ноги в сторону. Теперь, имея равные возможности, они, тяжело дыша, стояли друг против друга. Внутри Дениса все кипело от гнева. Руслан был куда спокойнее. Первый раунд выиграл. Теперь надо было развивать успех. Но как? Работа ногами не годилась. Скользкий снег готов был принести любую неожиданность, и пируэты на нем могли дорого стоить. Сколько раз на тренировках Палыч советовал не пренебрегать кулаками. Так нет... Ребята хотели учиться другому, за спиной осуждая его пристрастие к прошлому. Все это дань моде и желание повыпендриваться на иностранный манер. Всякие там обезьяньи ужимки, удары ногами, ребром ладони и тому подобное. А ведь сколько раз русского мужика спасало умение просто развернуться и отвесить не вытянутыми пальцами или ребром ладони, а обыкновенным, примитивным кулаком. Он с уважением вспомнил в этот момент Сиривлю, и опять стало за себя стыдно. Реальность оставалась той же.

Перед ним стоял незнакомый парень, пришедший за ним... Обстоятельство вынуждали вцепиться друг в друга и месить, как пьяный мужик, действуя больше по наитию, нежели по теории. Все это понимал и противник, постепенно успокаиваясь. Он рывком распахнул куртку, выбросил мешавший движениям фал. Затем ударил ботинками о снег, чтобы не скользить, немного присел с выставленными вперед руками.

Увидя выброшенную веревку, Руслан сразу понял ее назначение в данном месте. «Вот гад, — промелькнуло у него в голове, — хотел меня, как барана, повязать. Ну ничего, еще посмотрим, кто кого на ней поведет». Увиденное придало уверенности, и он, имея превосходство как минимум в росте и весе, первый пошел на соперника. Руки охранника едва скользнули по куртке увернувшегося Дениса. Захват не удался, а сам он едва успел отклониться от просвистевшего у уха кулака. После второго контакта из разбитого носа Дениса потекла тонкой струйкой кровь, которую он сразу же почувствовал на губах. Руслан тоже сплевывал красным. Теперь их разделяло полутораметровое пространство, преодолеть которое можно одним прыжком, но возможность промахнуться сдерживала, хотя злобы для этого было предостаточно. Теперь больше нервничал Руслан. Он должен быть уже на месте встречи, а возможность туда попасть откладывалась. И хотя происходящее здесь должно вскоре закончиться, но вот в чью пользу, никто из них не знал. Примерно о том же подумал и Денис. Обстоятельства требовали активности, а обстановка не позволяла. Два раза сходились молча, не произнося обычных в таких случаях угроз или безадресных крепких выражений.

Молчание нарушил Руслан. Сделав шаг назад, он вытащил из высокого ботинка складной нож. Лезвие, щелкнув, сработало безотказно.

— А как тебе, сука, это понравится? — с ехидной усмешкой прошипел он, начав сближаться.

Охранник уже заметил промелькнувшую растерянность в глазах противника и теперь, зло улыбаясь кровавым ртом, вертел перед его лицом узким лезвием ножа. Тот невольно пятился, весь сосредоточившись на руке с ножом. Первый выпад не достиг цели: слишком большое расстояние разделяло их. Руслан приближался, надеясь, что вторая попытка будет удачнее. Денис же медленно отступал.

Сознание того, что стоит поскользнуться и, возможно, не встать никогда, сковывало движения. А отступать уже некуда. Сейчас пистолет лежал еще ближе к нему, но через пару шагов этот парень, угрожая ножом, возьмет его, и тогда... Тогда все будет просто... Но об этом уже никто не узнает... Он неудачно повел корпусом, и в бок больно кольнуло. Денис даже не представлял, что боль может приносить радость не только мазохистам. Сделав ложный выпад, он отступил на шаг и успел выхватить из-под куртки монтировку. Противники вмиг поменялись ролями. Теперь уже медленно отступал Руслан. Он только сейчас понял, какую ошибку совершил, не попытавшись, имея такое преимущество, завладеть пистолетом...

Полоса железа рассекала воздух перед грудью, пытаясь выбить из его руки оружие. Развязка наступила быстрее, чем он ее ожидал. Сталь ножа звонко хрустнула и переломилась, на миг сосредоточив все внимание на себе. Следующий удар монтировки пришелся по правой руке, сжимающей ручку сломанного ножа, и она безжизненно повисла.

— Все, парень, все... Хватит боксу, — подбирая пистолет со снега, предложил Денис.

Руслан молча принял предложение. Без сопротивления дал связать руки и покорно побрел к машине, хозяин которой шел следом, вытирая снегом кровь с лица.

— Ты знаешь, кого ты привез? — спросил Сиривля Дениса, когда они въехали во двор дачи, и, увидя, как тот недоуменно пожал плечами, подсказал: — Бывшего начальника охраны ночного клуба «Мираж».

Руслан невольно стрельнул глазами. Хотя ему было теперь все едино, такая новость, что и говорить, была неприятной. Сергей Павлович, понимая его состояние, не без злорадства во всеуслышанье добавил, обращаясь к рядом стоящим:

— Правда, он в этой должности побыл-то часа четыре, не больше, но все же. Сейчас там новый начальник, Комиссар. А от тебя, Руслан, я такого, честно скажу, не ожидал... Или уже забыл, как в клуб попал? Да ты, видно, забыл и что до этого было... — добавил он и замолчал.

Руслан ничего не забыл.

— Вот такие вот дела, мужики, — прервал молчание Сиривля. — Не все среди нашей компании иудами оказались. Так вот он мне все и сообщил. И про тебя, и твою поездку. Да ты особо-то не расстраивайся. Должности начальника охраны клуба в настоящий момент нет. Кстати, и клуба вместе с хозяином — тоже...

Сиривля подошел к Денису и, повернув его голову, внимательно осмотрел разбитый нос, как делал не одну сотню раз на своем веку, похлопал по плечу, что означало у него — пройдет, терпи — не девка. Затем подошел к Руслану и, разжав двумя пальцами челюсть, осмотрел и его.

— Развяжите его, ребята... Никуда он не денется. Если и сбежит — возни меньше будет, — распорядился хозяин дачи, похлопав в силу привычки по плечу бывшего своего любимца.

Смотрел на парня, и чувство вины не покидало его. Что ни говори, а это он привел в клуб, где из того сделали подонка... А что взять с этого пацана? Да и место его занял, когда то опустело.

— Сложная штука — жизнь, — вздохнул Сиривля. — Собирайтесь, ребята, по домам. Осада снята...

Руслан все это время молчал, постоянно наблюдая за хозяином дачи. Он понимал, как несправедлив к этому человеку, и желал если не искупить, то хоть смягчить свою вину. Он молчал еще и потому, что было стыдно признаться, что, если бы не этот Денис, он привел бы сюда людей и еще неизвестно, что стало бы с этим человеком, его ребятами, да и с этой дачей. И все из-за хозяина, который при первой же неудаче заменил его на совка Комиссара, который только и занимался тем, что обеспечивал покой во время пьянок на стороне. И вдруг его как током пронзило...

— Сергей Павлович, — почти закричал он, — Комиссар был на вашей даче?

— Ну был прошлым летом пару раз, а что? — удивленно спросил Сиривля.

— А то, что хреновы могут быть наши дела, — о чем-то соображая, теперь уже тихо произнес Руслан, посмотрев на часы. — Если уже не стали...

## ГЛАВА 27

Уже совсем рассвело, когда «Нива» Никиты отъехала от дома Дины. Майор не спеша вел машину в сторону центра. Оба молчали. Никита хотел, чтобы первым заговорил сын и рассказал причину случившегося с ним и его девушкой. Илья молчал, потому как хотел оттянуть неприятный разговор на потом.

— Докладывай все как было, — обратился он к сыну, когда понял, что тот сам не начнет говорить. — Только подробно и правду.

Сидевший рядом с водителем Илья молчал, окончательно взвешивая все «за» и «против». По всему выходило, что рассказывать надо. Деньги, из которых он еще не истратил ни копейки, уже начали приносить одни несчастья, как ему, так и его близким. Он вспомнил про Динку, и ему стало жалко ее. Как бы там ни стали продолжаться их отношения, натерпелась она по его вине уже достаточно.

Жадность до добра не доводит, это точно. Ну мог же еще раз все с Максом провернуть. Тот бы и за меньший процент согласился позвонить. Так нет, все себе захотелось заграбастать. Конечно, купил бы

Динке шубу или другую какую-нибудь дорогую вещь, но это он знает, что купил бы, а она? А отцу за что все это досталось?

Илья повернул голову в сторону Никиты. Заклеенная пластырем бровь, синяки под обоими глазами, распухшие губы — это только на лице, а там, где не видно... Но дело не только в том, что он их подставил. Вопрос еще и в том, что кончится ли все это задержанием Бартеньева с ребятами. Есть еще Сиривля со своими, да, может, и другие остались. Сможет ли он защитить Динку, не говоря уж о себе? Да и отец не всесильный...

— Слушай, отец, я все расскажу, только, если можно, пусть между нами останется...

— Ты сначала говори, а уж потом будем решать, что должно остаться между нами, а о чем все должны узнать.

— Да я все понимаю... Ладно, слушай...

Рассказ был недолгим, но Никита узнал главное.

Ну и ну! Заварил кашу его сын густо. Хорошо еще, что хоть жив остался. И вопросов понаставил уйму. Время покажет, как жить, а сейчас бессонная ночь смыкала веки, да и избитое тело требовало покоя. Но дороги... Каждый ухаб отдавался в теле, как удар кувалдой. И дышать трудно. Наверное, сломана пара ребер.

Никита вспомнил о Наташе. Ну почему всякий раз, когда ему достается, его так и тянет в ту квартиру на Голубинской? Потому что врач? Орел невесело усмехнулся.

Эта его усмешка не прошла мимо внимания сына. Он заметил ее в зеркало заднего обзора.

— А может, ко мне поедем, так ближе и спокойнее будет? Заодно и с бабушкой познакомишься. Вот радости-то будет. Она, как узнала о нашей встрече, только о тебе и говорит. До тебя еще пилить да пилить, — предложил Никита.

— Ты что, мы почти приехали. Минут пять осталось.

— Да? — недоуменно спросил Никита. — И давно вы здесь живете?

— Года два уже. Как бабушка умерла, так и поменялись. Двухкомнатную на двухкомнатную, только малогабаритную. Зато ближе к центру...

— Ну-ну... — вспомнил Никита о теще и замолчал.

Разные тещи бывают. У Орла была из анекдотов — вечно недовольная, считала, что дочь ее выбрала неровню. В принципе так оно и было, но это теперь понимал Никита, а тогда... Тогда каждодневные разговоры о нравственности доводили его до белого каления. Потому и молчал сейчас. Зачем ворошить старое, хотя это старое перло из всех дыр, стучалось назойливым гостем и требовало внимания.

Молчал и сын, то и дело прикладывая руку к лицу. Синяк под глазом почти не чувствовал, а вот вздувшаяся щека постоянно давала о себе знать. Когда они проехали очередной перекресток, Илья нарушил молчание:

— Да, бабушка что надо. Меня она понимала...

На следующем перекрестке направо, и мы почти приехали. Зайдешь к нам?

— Ты что, в таком виде? Посмотри на меня... Да и рано еще, может, мать твоя спит, — улыбнулся Никита, посмотрев на сына.

— Ну и что. Я же тоже с фонарем... Вот к той башне подъезжай. Может, все же поднимешься? Мать уже встала, ее магазин с восьми работает.

Никита посмотрел на сына и с нескрываемым удивлением спросил:

— А она что, в магазине работает, и давно?

— Да уже больше года... Вот наш подъезд. Но ты лучше подальше проезжай, а то здесь разворачиваться будет трудно... Пап, ну что ты как маленький? Хоть на пятнадцать минут зайди, а?

— Нет, Илюха, не проси, не могу. В другой раз...

— Ну пожалуйста, не съест она тебя. А мне так хочется увидеть вас вместе хоть раз в жизни! — совершенно по-детски начал канючить Илья.

Никита начал колебаться. Ему ужасно не хотелось отказывать сыну в такой в общем-то пустяковой просьбе. Однако общаться с Машей, тем более сейчас и в таком виде, не хотелось еще больше. Он уже собрался окончательно отказать, но, увидев глаза сына, решил подчиниться.

— Пошли, пошли, — подбадривал, стоя у раскрытой двери, обрадованный Илья, дожидаясь, пока отец поставит замок на руль.

Вдруг сын, заулыбавшись, помахал кому-то в глубине двора.

— Привет, мам! — радостно закричал он.

Услышав сына, Никита невольно вздрогнул.

Его довольное и умиротворенное лицо вмиг стало озабоченным и грустным. В зеркале заднего вида попытался разглядеть Машу и не мог. От подъезда к его машине направилась ярко накрашенная женщина в длинной стеганой куртке и кокетливо надетой вязаной шапочке на огненно-рыжих волосах. Она шла, тяжело переваливаясь с ноги на ногу, передвигая за собой клетчатую сумку с торчащими из нее горлышками пустых бутылок.

— Мам, смотри, кого я тебе привез, — интригующе обратился к ней Илья, как только та подошла к машине. — Пап, ты бы хоть вышел, поздоровался, что ли...

Женщина перевела взгляд с сына на сидящего за рулем мужчину. Несколько секунд она недоуменно смотрела на него не по возрасту выцветшими глазами. А затем, растерянно улыбнувшись, кивнула в знак приветствия.

— Илья, это что, твоя мать?!

Сын растерянно смотрел на родителей, переводя взгляд с одного на другого. Он, уже начиная понимать, что что-то не так, спросил:

— Да вы что, не узнаете друг друга, что ли?

Никита мог для сына сделать все что угодно, но только не узнать в этой женщине свою бывшую жену.

— Ты Илья Орел? — растерянно спросил он.

— Да... Илья Орлов, — ответил совершенно сбитый с толку молодой человек. — Орел — это погоняло такое. Пап, что происходит?

— Извините... — только и смог произнести Никита. — Звони.

Машина завелась с пол-оборота и на задней передаче резко рванула с места, взвизгнув прокрутившимися на выпавшем снегу колесами.

## ГЛАВА 28

Разнос за содеянное был им устроен через день, как только отлежавшийся Орел появился на работе. Дед собрал всех в своем кабинете прямо с утра. Дожидаясь, пока майор с подчиненными рассядутся по местам, и помариновав в ожидании вступительного слова, просматривал бумаги, не обращая на них никакого внимания.

Наконец решил, что подчиненные созрели до нужной кондиции.

Как только поднялся с кресла, стало ясно, что гроза не минует.

Дед говорил стоя только в двух случаях: когда с чем-нибудь поздравлял или устраивал головомойку. Праздников в ближайшее время не намечалось, оставалось последнее. Да и было за что, это понимал каждый.

Полковник еще немного помолчал, оглядев их холодным взглядом.

Он любил такие показательные выступления перед подчиненными, считая, что они дисциплинируют.

— Здесь вам что, художественная самодеятельность? — спросил он, опустив приветствие, стараясь говорить как можно спокойнее. — Какого черта вы полезли туда с ребятами Заритовского? Боевиков насмотрелись? Или вам делать больше нечего, как из пистолетов палить?

— Да никакой стрельбы и не было... — робко возразил Калинкин, пытаясь закрыть рукой заплывший глаз.

— Молчать!.. Сам вижу, что не было. Какой из тебя стрелок с таким глазом...

Дед замолчал, а затем вновь обвел глазами присутствующих. С самым младшим по званию он уже поговорил, наступило время взяться за старшего.

— А ты, майор? — спросил он, пристально рассматривая побитое лицо поднявшегося со стула Орла. — Вот от тебя я такой глупости не ожидал. Вы поглядите только на этого орла! Забраться на ринг для боев без правил... Ты что, охренел? Шварценеггер нашелся!

Полковник подошел к майору. Смотря на подчиненных из-за своего маленького роста снизу вверх, он умел посмотреть, что называется, свысока.

— Мы что, майор, подготовленного бойца подобрать не смогли бы для внедрения? Ведь этот лось тебя мог насмерть пришибить!

— Виноват, товарищ полковник... — тихо пробубнил Никита.

— Виноват... Виноват... — по-стариковски ворчал совсем еще нестарый начальник, возвращаясь в свое кресло.

По всему было видно, что первая, самая неприятная часть разговора закончена. Дед остывал, делая вид, что лежащие на столе бумаги куда важнее, чем общение с такими подчиненными.

Присутствующие искоса посматривали на продолжавшего стоять непосредственного начальника.

— Ну чего стоишь, садись, — разрешил полковник, видимо решив, что на сегодня разговоров на повышенных тонах достаточно.

Все прекрасно знали, что это только начало. В ближайшее время разборки повторятся. Дед никогда не изменял традициям. Но самое сложное было выдержать первый порыв гнева, дальше, как правило, было легче.

— В общем, показали себя с лучшей стороны, но ниже пояса... Одного я понять не могу: почему всю операцию вы провели втайне от меня? — спросил полковник уже спокойным деловым тоном. — Или я больше не ваш начальник? Чего молчишь, майор?

Никита сконфуженно покосился на своих подчиненных. Что и говорить, чувствовал себя неловко. Как ни крути, а ребята присутствовали в кабинете из-за него. Но что сделано, то сделано. Вопрос начальником задан и на него надо отвечать.

— Ну... сначала подозрения только были... Без конкретных материалов не хотелось беспокоить, — начал майор. — Я решил сначала сам немного покопаться, предоставить хоть какие-то факты. Тогда и доложить, как положено... А тут все, как обвал, в несколько часов закрутилось.

Никита замолчал. Он счел возможным больше ничего пока не говорить, а послушать полковника.

Дед постучал пальцем по столу, что означало —

ему все ясно, пора заканчивать разговоры. Он еще раз посмотрел на лицо Никиты и, усмехнувшись, приказал:

— Чтобы к концу недели отчеты были у меня на столе, понял? И без всякого художественного вранья типа «поступил анонимный сигнал». А то устрою тебе триумф, гладиатор недобитый. Все! Идите работайте. А ты, майор, останься.

Присутствующие дружно поднялись и потянулись к выходу.

Когда в кабинете остались Орел и хозяин, последний распорядился:

— Я сейчас позвоню, а ты пошли кого-нибудь ко мне домой. Там у жены мазь какая-то есть, сделанная по прабабушкиным рецептам. Здорово помогает... Через неделю все пройдет. И постарайся с Калинкиным по коридорам меньше шастать, не отдел, сборище драчунов какое-то. Иди...

В коридоре Никита догнал прихрамывающего Калинкина.

— Значит, говоришь, через три дня все проходит? — спросил он, кивнув на заплывший глаз.

— Думаю, да, — ответил тот, вспомнив свои слова.

— И не надейся, неделя как минимум. Дед так распорядился, — сообщил майор и засмеялся: — А у тебя-то фонарь познатнее моего будет... Да еще в коридор ни шагу.

Они вместе вошли в кабинет, в котором сидел один Павлюченко, обложившись бумагами.

— Майор, к тебе тут сын с девушкой вчера приходил, — доложил он. — Тебя-то не было, и мне пришлось к ним выйти. Вот что значит молодость, смеются, как будто не было ничего. Словом, привет тебе передавали и вот кассету.

— Спасибо, — растерянно поблагодарил Орел и, чтобы скрыть смущение, быстро проскочил к рабочему столу.

Дел было море, но он никак не мог сосредоточиться. Мысли сами по себе возвращались к событиям последних дней. Побыл почти неделю отцом, а теперь снова стал единственным сыном. Да и в чем виноват этот мальчишка, пусть не родной, но в общем-то славный парень. Сам же он, пусть и благодаря бывшей женушке, нашел его. Разбередил душу и себе, и ему, и своей матери. А что теперь делать? Невольно поймал себя на мысли, что если бы тогда у дома его встретила другая женщина... Модно одетая, красивая, то есть вся из себя, то, наверное, не сиганул, как заяц. Начал бы разбираться в недоразумении. Разве Илья виноват, что у него такая мать? Родителей не выбирают. Все равно для него самая-самая, хоть и бутылки по утрам сдает. А ведь понял, не обиделся на такую его реакцию. Вот тебе и молодость, а разума побольше, чем у некоторых взрослых. В конце концов сознавать, что тебя любят и ты кому-то нужен, — это здорово!.. Нет, просто так их знакомство не кончится. Не должно кончиться, решил он.

Никита встал из-за стола и, улыбнувшись, потянулся. Нет, жизнь интересна своей непредсказуемостью. Этим вдруг принятым решением он освободился от какого-то тревожного состояния, не покидавшего его со вчерашнего дня, и на душе стало сразу как-то спокойнее.

Майор подошел к магнитофону, и в комнате еле слышно зазвучала песня Ильи Орлова...

«Канатоходец, дорогой, не упади, не смей,
Презри покой, вперед иди, смелей же, друг, смелей».
В толпе стоят раскрывши рот, застыли в забытьи,
Тебя моля: «Иди вперед! Иди же, друг, иди!»

Ты так высок, как солнца луч, канатом в небеса.
Стучит в висок: «Меня не мучь, дойди же до конца!»
А он все шел. Вперед! Вперед! Но затрещал вдруг шелк.
В толпе стоят, раскрывши рот, раздался шепоток:

«Канатоходец, дорогой, не упади, не смей!
Презри покой, вперед иди! Смелей же, друг, смелей!..»

Она еще не закончилась, как дверь в кабинет открылась. Вошел молодой парень с серьгой в ухе. Он, размеренно двигая челюстями, перемалывал рекомендованный «Дирол» без сахара. За ним, держа в руках прозрачный пакет с бутылкой шампанского, стояла Ольга. Увидев начальника, она с легкой улыбкой кивнула парню и представила:

— Вот, познакомься, Илья, это твой отец...

## ГЛАВА 29

Уже почти час Комиссар с бывшим омоновцем ехали на место встречи. Выехали с запасом. Половина пути приходилась на город, а кто знаком с утренними пробками, тот знает, что раз на раз не приходится. Не единожды бывало, когда ехали со скоростью груженой телеги, а то и вовсе стояли. Хорошо, когда особо не спешишь или начальство сидит рядом. Тогда не приходится доказывать, что во всем виноваты пробки, а не будильник.

На этот раз пронесло, ехали без всяких проблем. Проблемы были у тех, кто спешил в город, так как движение в это время было еще в основном в сторону центра. Вечером все поменяется наоборот, но это опять минует их. Комиссар на правах начальника сидел в кресле пассажира. По пути он пару раз приказывал остановить машину. Ему вдруг захотелось съесть банан, а потом, уже при выезде за пределы города, пить. Хорошо бы, конечно, взять пивка. Он любил этот напиток, особенно «Клинское». Но здравый смысл помог выбрать правильное решение, и взяли томатный сок.

То, что Тимур любил поддать, он знал, а вот пьет ли по утрам, оставалось тайной. Ехали молча. Омоновец — мужик молчаливый, тем более когда сидел за рулем. Майор также молчал. Привычка не разговаривать с водителями выработалась у него с армии. Разговоры, хочешь не хочешь, сближали. А на кой черт панибратство, когда за рулем сидит салага, к тому же как следует не умеющий водить машину. Однажды, в конце восьмидесятых, он завел теплые отношения с одним из таких. Часть, в которой майор тогда служил, стояла в районном центре на границе Московской области. Первогодок, Игорь Семенович Штракс сел на штабной «газон» случайно — заменял заболевшего ефрейтора. Подал машину такую, что нельзя было не обратить внимание. Конечно, сразу проскочила мысль поменять ленивого шофера на чистюлю. А как тронулись, эта мысль засела еще глубже.

— Ты где, солдат, так машину научился водить? — спросил командир, повернувшись к водителю, которого толком-то не рассмотрел.

Перед ним сидел, уверенно держа в руках руль, солдат заметно старше обычных первогодков. Из-под нахлобученной шапки торчала почему-то русая челка. Нос, под которым свисала готовая вот-вот упасть капля влаги, с горбинкой. Еще тонкогубый рот, острый подбородок и длинная шея с выделяющимся кадыком. Дальше все утопало в необносившейся шинели, видимо, большего, чем нужно, размера. Что и говорить, солдат далеко не гвардеец, да еще в очках, никакое сравнение с ефрейтором не выдерживал. Придется старого лоботряса оставить, как-никак каков водитель, таков и начальник, то есть он — замполит полка.

— Так я лет с четырнадцати отцовскую машину вожу, — ответил водитель, не отрываясь от дороги.

— Что, такой же «газик»?

— Нет, отец «Волги» любил.

— Надо же. У твоего отца хороший вкус, — одобрил командир пристрастия старшего Штракса.

— Согласен с вами, товарищ майор. Вот только, если бы еще ездить умел. А так то на мне, то на сестре катался, — ответил солдат, впервые посмотрев в сторону пассажира.

— Ну раз отец машину доверяет, так можно и покатать, — вступился за родителя командир.

— Нет, мы его на своих машинах возили.

— Это что же, в семье у вас три машины? — удивился майор.

— Да. У отца — «Волга». У сестры — «вольво». У меня «жигуленок» был до армии.

— Мощная у тебя сестра...

— Это правда... С бабками у нее все нормально. В Египте работала от ГКС, — ответил солдат и пояснил: — Она в Комитете по экономическим связям работала. Тремя языками владеет, как мы русским.

— Молодец сестра, ну а ты что же? — Майор кивнул на солдата.

— А я что... Я по стопам отца пошел, плехановский закончил. Теперь вот на год к вам, — пояснил солдат и похвастался: — Но французским тоже владею. И немного английским.

— Да ты полиглот, солдат. Молодец! — похвалил его командир. — Давай к магазину, знаешь, на площади.

— К магазину так к магазину, но лучше аспирин принять, — посоветовал водитель и, порывшись под шинелью, достал импортные таблетки. — Пару на стакан, и будете как огурчик.

Аспирин действительно поборол недуг никогда не употреблявшего лекарства майора. А мысль засела еще глубже.

После обеда майор набрал телефон особого отдела.

— Послушай, Антон, ты мне не посмотришь, что это за новенький объявился, по фамилии Штракс.

— Давай, Роман, потом, сейчас дел навалом. Пока, — ответил старлей-особист.

— Да брось ты шпионов ловить, лучше скажи, как после вчерашнего-то?..

— Лучше не спрашивай... Думал, после обеда полегчает, да куда там...

— А мне Айболит заморское средство дал, как рукой сняло...

— Брось травить, майор... У нашего капитана, кроме анальгина да стрептоцида, никогда ничего не было. А ты про импорт лапшу вешаешь.

— Да я его только что самого вылечил, а вот начштаба не помогло...

— Так, говоришь, Штракс?.. — спросил старлей и пропал минуты на три. — Есть такой, Штракс Игорь Семенович... Отец, Семен Аркадьевич... Мать, Сидорова Валентина Васильевна...

— Ты мне про сестру прочти, — перебил майор.

— Про сестричку так про сестричку, — пробубнил старлей. — Вот, сестра, Сидорова Ирина Семеновна...

— Теперь ясно... — вновь прервал майор. — Слушай, Антон. Ты сделай подробный запросик, хорошо?..

— А в чем дело-то?

— Да у меня ефрейтор совсем разленился. А этот солдат машину хорошо водит.

— И лечит...

Но дело было не в лечении и чистоте. Дело было даже не в навыках вождения. Все решил французский. Оксана Григорьевна, жена замполита, безумно хотела, чтобы ее маленькая дочка знала хоть что-нибудь по-французски. И когда он проболтался про Штракса, та уселась на мужа плотно.

— Ну зачем это начинать? — в который раз спросил майор, ложась с пачкой газет в постель. — Через год она пойдет в пятый класс и, как все дети, начнет учить язык в школе.

— Конечно... Все, да не все... Вон Николай Полинин с первого класса учит два языка, а чем наша хуже. Разве она виновата, что у нее такой батька.

Младшая сестра жены, Полина, была замужем за подполковником, который уже три года служил в столице. Свояк был мужик ничего, да и свояченица тоже, но угораздило его поменять место службы. И теперь майор постоянно выслушивал упреки любимой женщины.

— Ну при чем тут батька. Ты скажи, что ей даст этот год? — возмутился еще раз муж, но ответа не получил.

Сделав еще несколько безрезультатных попыток, жена тоже начала готовиться ко сну. Только в этот вечер она, вместо того чтобы, как обычно, заплести спадающие на плечи густые волосы в косу, начала расчесывать их. Расчесывала долго и тщательно, пока не почувствовала на своей высокой груди руки мужа. Руки были безжалостно сброшены. Так повторилось несколько раз, пока наконец жена не узнала, что дочь будет заниматься французским с ближайшего выходного...

Такого украинского борща и вареников с картошкой майор сам давно уже не пробовал, а Штракс вообще отведал в первый раз. Потом Игорь ушел с дочкой в другую комнату заниматься, а хозяин с начальником штаба и особистом продолжили дневку вместе со своими женами.

— Анечка, сыграй нам что-нибудь, — решил, как всегда, похвастаться отец успехами дочери.

Гости без особого восторга слушали исполняемые девочкой на аккордионе мелодии незатейливых песенок и этюды. Они уже все это не раз слышали, но аплодировали дружно.

— А что ты можешь нам сыграть из классики? — спросила жена, прекрасно зная репертуар дочки.

Помнила она также и то, что Бетховена гости еще не слышали.

Девочка смутившись ответила, что может сыграть «Старинную французскую песню» Чайковского. По просьбе гостей песня была исполнена, а потом и прозвучал гвоздь программы — «Сурок» в исполнении юной аккордеонистки никого не оставил равнодушным. И тут же последовавший тост за успехи детей был ярким тому подтверждением.

— Ну как моя дочь... способная? — спросил майор Штракса, вызвав того из другой комнаты, и тут же объявил гостям: — Вот хочу дочку французскому учить.

— Я считаю, Ане просто необходимо изучать языки. Вы не представляете, как точно она повторяла все, что я ее просил. Да вы же только что сами слышали, какой у нее слух.

— А ты что, солдат, и в музыке соображаешь? — удивленно спросил майор.

— Немножко, на уровне музыкальной школы, —

застенчиво ответил Штракс, с надеждой глядя на появившийся на столе пирог.

— А на этом можешь? — вмешался в разговор начштаба, указывая на аккордеон.

— Могу попробовать, товарищ подполковник. Только я давно не играл...

— Пробуй, — единогласно разрешили начальники и их жены.

Штракс взял аккордеон и пробежал по клавишам, желая хоть немного разыграться. Гости непроизвольно переглянулись, в первый раз в жизни видя перед собой виртуоза. В гарнизоне некоторые играли, но с такой беглостью пальцев они сталкивались впервые. Знали бы, что творил Игорек Штракс на еврейских свадьбах в родном городе, когда тягучие мелодии аккордеона сменялись звонкими звуками фортепиано, а те, в свою очередь, задушевными звуками скрипки. Вот уж что умело вышибить слезу из бабки, так это скрипка. А потом, нарыдавшись, все, от мала до велика, пускались в круговорот зажигательных еврейских мелодий. И играл он здорово, и платили хорошо...

— Солдат, давай что-нибудь наше, — прервал воспоминания хозяин дома.

Игорь осмотрелся, вспомнил борщ с варениками и ударил по клавишам, а вокруг затянули:

Дывлюсь я на небо, тай думку гадаю:
Чому я не сокіл, чому не літаю?
Чому мені, Боже, ти крилець не дав?
Я б землю покинув і в небо злітав...

Дальше все слушали хозяйку и хозяина, так как не знали слов.

Голос у Оксаны Григорьевны был замечательный — чистый и сильный, чего нельзя было сказать о Романе Андреевиче, но тот брал самоотдачей:

Далеко за хмари, подалі від світу, —
Шукать собі долі? на горе привіту,
І ласки у сонця, у зірок прохать,
Та й в світі ясному себе показать.

Последние две строчки повторили, да так, что прохожие останавливались под окнами. Это ничего, что со слухом и голосом у большинства были проблемы. Не мешало и то, что многие слова вроде бы понятного украинского не понимали. Душа хотела песни, и она ее получила. А уж проигрыши были!.. Что и говорить, играл мастер!

— І долі шукать!.. — закончила хозяйка уже одна, и на глаза ее набежали слезы...

Впереди показалось место, где старое шоссе, пройдя по центрам ряда населенных пунктов, сливалось с новым.

— Кажется, здесь, — произнес майор, прервав свои воспоминания. — Откати подальше на обочину, а то какой-нибудь тяжеловес заденет, а я пока пройдусь.

Закинув пакет из-под сока в придорожные кусты, он не спеша обошел несколько раз машину. И кому это понадобилось делать единые номера на частные и государственные машины? Раньше, когда впереди сидели двое, было ясно, кто есть кто. Сейчас же хоть самому за руль садись, так хорош был клубный джип.

Высокий и мощный, со всеми наворотами, сверкающий новой краской и дисками, он невольно обращал на себя внимание.

А до назначенного времени оставалось почти полчаса. Несмотря на чистый загородный воздух, на улице было неприятно. Сильный ветер особо чувствовался здесь, на открытой местности. Майор еще немного постоял и опять залез в машину. Красоваться было не перед кем. Не лето и даже не суббота... Проезжающие машины, в основном грузовики, стремительно проносились мимо, как бы радуясь, что выкатили наконец на простор.

В кабине было уютно. Он невольно закрыл глаза, вновь предался воспоминаниям.

В тот вечер допоздна в доме звучал аккордеон. Напелись и наплясались, что называется, до упаду. И не только они, но и набежавшие на звуки музыки соседи. Словом, вечер удался на славу.

Дочке начавшиеся по два раза в неделю занятия нравились. Она с нетерпением ждала среды и воскресенья, чтобы с Игорем Семеновичем учиться правильно грассировать и отличать Present от других времен глаголов. Месяца через два в доме только и слышались слова — «merci», «papa», а затем и фразы — «Pardon, maman», «Bonjour, Annette». Оксана Григорьевна, изо всех сил помогая дочери, училась сама. Они обе были счастливы, что произносят слова, раздававшиеся когда-то в самых престижных салонах...

Занятия пришлось прекратить в середине лета.

Майор хорошо запомнил дату — семнадцатое июля, воскресенье...

И запомнился этот день не отмененными стрельбами и не пикником по этому поводу, а возвращением в родной дом. Он почувствовал тревогу, еще подходя к дому, когда не увидел свет в собственной квартире. Странно, подумал он, посмотрев на часы. Может, ушли куда-нибудь. Да нет, на них непохоже. Неужели так рано легли спать?

Осторожно, боясь потревожить сон дочки, майор открыл входную дверь. Снял в коридоре ботинки и в носках подошел к закрытой двери спальни, чтобы разбудить нежным поцелуем свою единственную. Французский, конечно, он не знал, полностью перевести услышанное не мог. Однако не нужно много знать, чтобы понять смысл фраз, еле слышно раздающихся из спальни.

— Encore... Encore... Charmant! — по-французски шептала свои любимые слова жена вперемешку со сладостными вздохами.

Штракс был более многословен, а между фразами громко сопел.

Поначалу майор не хотел верить собственным ушам. Как не хотел верить, что такое может происходить с его женой. С другими, да. Он и сам не раз был участником подобного. Но Оксана — мать его дочери. И с кем? С этим французом, Штраксом? До боли хотелось, чтобы это просто показалось... Что он просто ослышался.. Но увы... Скрип родной кровати майор не мог спутать ни с чем...

Дверь от мощного удара ногой чуть не слетела с петель. В комнате стоял полумрак, но было еще достаточно светло, чтобы не промахнуться по морде музыканта. Супруге досталось только один раз, но так, что она долго не двигалась. Так, что громких сцен не было. Но все равно, как говорится, шила в мешке не утаишь.

Гарнизонные женщины разошлись во мнениях, оценивая случившееся. Одни сочувствовали майору, другие, кто его знал получше, — Оксане. Мужчины же задавались одной и той же парой вопросов: одним главным: «Почему не я?..» Другим, не находящим объяснения: «И как такой Штракс мог у нее выпросить?»

— Комиссар, а точно в десять договорились? — спросил водитель, тем самым прервав воспоминания.

Да такое и вспоминать-то не хотелось. Майор, конечно, помнил истерики, клятвы, просьбы простить и забыть... Помнил и свой недельный запой... Помнил и глаза дочки, ради которой якобы все простил и забыл...

— В десять, — подтвердил Комиссар и спросил: — Сейчас сколько натикало?

— Уже на пятнадцать минут опаздывают, — сообщил водитель.

Пассажир посмотрел на свои часы, желая в этом убедиться. Действительно, уже четверть часа прошло, как Тимур с ребятами должны были подъехать, а их все не было. Мало того, не появился и Руслан.

С одной стороны, это хорошо, нечего под ногами путаться. С другой — было бы спокойнее, если б уже сейчас знать, есть ли кто на даче. А если есть, то чем они там занимаются? А может, он еще и не был на даче, с такого станется. Да как это определишь.

И только сейчас Комиссар вспомнил о сотовом телефоне. Выругав себя за оплошность, майор набрал номер. Звонки прошли, но ответа не было. Он еще раз набрал, результат тот же. Руслан молчал.

— Вот гад. Сотовый не берет. Из магазина звонил, тоже не брал. Был бы нормальный парень, сразу бы понял, раз телефон не отвечает, значит, что-то не так. А этот, может, дома спит и отключил его. Вот сейчас приедем и выясним, что его вообще там нет или он в одном месте, а телефон в другом. Вячеслав Сергеевич, странный мужик, нашел кого посылать. Ломай голову теперь, что делать, — не то отчитывался, не то рассуждал вслух Комиссар.

— Для того и начальники, чтобы думать, — усмехнулся омоновец. — Они за это большую зарплату получают...

Майор недовольно посмотрел на сидящего рядом парня и промолчал. Он так и не понял эту усмешку. Для чего начальники, и сам знал не хуже, а тут чувствовались камушки в его огород.

Он не ошибался. Алексею действительно были неприятны эти смены руководства. Даже несмотря на то, что все происходящее в клубе было ему, как говорится, до лампочки. Он работал в «Мираже» с начала года и не собирался здесь надолго оставаться. И даже при таком отношении не мог понять, как можно назначить начальником охраны Комиссара. Пришел он сюда не из-за любви к увеселительным заведениям. Многим ребятам, правда, нравилось работать в таких местах. От беззаботного отдыха посетителей охране тоже перепадало. К тому же обстановка. Если люди идут сюда, чтобы побыть в этой атмосфере, тратя свое время и деньги, значит, что-то есть. Может, и так, но ему нравилась работа на прежнем месте. Настоящая, мужская. Служить в ОМОНе было сносно. Командировки в Чечню особо не пугали. Рядом стояли ребята, которые, если что, не подведут. К тому же холост и у родителей не единственный. Еще двое сыновей и внук носили его фамилию.

Гудки клаксонов подъезжающих машин оповестили заранее, что подъезжает Тимур с ребятами. В зеркале заднего вида, в просветах между проезжающими машинами, Алексей увидел их. Почти по осевой линии старого шоссе, отгоняя в сторону легковушки, неслись два джипа с зажженными фарами. Проскочив метров на тридцать дальше, машины остановились, и тут же за ними пристроилась машина ГИБДД.

Шло время, а из салонов никто не выходил. Видимо, каждый держал марку. Наконец дверь милицейской машины открылась, и, подождав еще немного, оттуда показалась форменная шапка, а затем и ее владелец. Не спеша, с достоинством автоинспектор пошел к впереди стоящим машинам, поворотом головы встречая и провожая проскакивающие мимо машины. И уже почти подойдя к цели, ускорил шаг, не останавливаясь около машины, стоявшей от него первой, проследовал к головной.

Козырнув и представившись, проверил документы. Затем, видимо, сообщил водителю, на какой отметке была стрелка спидометра, когда его машина проезжала мимо расположенного чуть сзади поста. По тому, как быстро инспектор пошел обратно, можно было понять, что в джипе правильно отреагировали на замечание, извинившись заодно и за другую машину. Извинения определялись двумя бумажками зеленого цвета по двадцать долларов.

Цирк, подумал Алексей и вышел из машины.

Как только милиция уехала, из машин высыпали люди и сошлись на пятачке, где только что стояла милицейская машина. Восемь ребят во главе с Тимуром пожали руки представителям ночного клуба.

Молодые, накачанные, одетые в почти одинаковые куртки поверх спортивных костюмов, они оценивающе смотрели на Алексея, который был среди них самый мощный. На Комиссара, похоже, вообще не обратили внимания. Они приехали работать, и было важно, вместе с кем это предстоит.

— А где остальные? — спросил Тимур, мужчина чуть постарше майора, отличающийся от своих ребят разве что седыми висками.

— Да вот ждем одного, молодого да раннего. Должен был разведать и сюда приехать. А он как в воду канул. Молодежь, она непредсказуема, — начал было Комиссар, но, перехватив недовольные взгляды ребят, замолчал.

— А чего же Руслана не взяли? И вообще, что ваш хозяин думает, когда пятерых угомонить просит... Что своих ребят бережет, а мои, значит, отдуваться будут?

— Я не знаю, мне сказали, я приехал, — нечленораздельно пролепетал Комиссар, недовольный напоминанием о Руслане.

На душе Комиссара вдруг стало тревожно. Действительно, где этот парень бродит? Вообще пора этих спортсменов прижать. Нос дерут, а простого дела поручить нельзя.

— А я знаю... Бартеньеву это будет стоить дороже и намного, — не без раздражения пообещал Тимур и обратился к майору. — Поехали. Сколько можно ждать. В крайнем случае по дороге перехватим. А этому своему молодому да раннему холку намыль, а не можешь, то мои ребята это сделают... Садись в нашу машину, показывай дорогу. А то так к вашему Сиривле к обеду не поспеем. Попылили, мужики...

«Чем же им Сиривля не угодил? — спрашивал себя всю дорогу Алексей, следуя за впереди идущими машинами. — Вроде Палыч мужик-то что надо». Он давно слышал о нем от мужиков постарше, которые видели выступления, а кое-кто и в зале с ним работал. Да и ровесники знали эту фамилию. Даже завидовали, когда узнали, что раз в неделю тот занимался с ребятами из охраны.

А теперь он едет к нему на дачу, как сказал этот старый пижон, «угомонить». Интересно получалось, полгода назад таких вот в спортивных костюмах с ребятами брал, а теперь в пору самому в их одежду облачаться. И за каким хреном мне все это надо? И как потом ребятам смотреть в глаза буду?.. Может, развернуться да рвануть, пока не поздно... Хотя тоже не дело. Нужно ехать, там видно будет. Еще посмотреть надо, как эти короткостриженые поведут себя, а то, может, деру дадут, тогда и я с ними буду. Ну а если нет, то тогда и я нет...

Первая машина свернула с основного шоссе в сторону виднеющегося вдалеке дачного поселка. Сидевший в ней на заднем сиденье майор показывал дорогу, смотря вперед между водителем и Тимуром.

— Значит, говоришь, из кирпича? — задал очередной вопрос руководитель операции.

— Ну да, а второй этаж деревянный.

— На окнах решетки есть?

— Здесь недалеко деревня, и ребята пошаливают. Прошлой зимой к нему пару раз забирались. Все перевернули, побили. Ну взяли какую-то мелочь. А сейчас сторожей наняли...

— Я же спросил тебя конкретно про решетки. Так ты и отвечай про них, — повысил голос Тимур.

— Да. Прошлым летом поставили.

— С какой стороны к сторожу проехать?

— Так здесь один въезд. Вон, где машина стоит. Там недалеко ворота и сразу их будка.

Дальше ехали молча.

Майор нервничал. Считай, первое поручение, а руководит всем этот Тимур. А он как бы ни при чем. Правда, руководить-то не кем. Один пропал, другой молчит и усмехается. А что случись, Вячеслав Сергеевич с него спросит. Это факт. Что, он против этих попрет? Не попрет. Значит, с него. Не жизнь, а черт знает что...

Тимур тоже молчал. Он был недоволен Бартеньевым. Еще бы. Говорил, вместе будем дело делать, а прислал только троих, да и то один потерялся. Этот, сидящий сзади, не в счет. Другой, правда, парень хороший, но из-за одного столько бабок терять не будешь. Оставлю его транспорт сторожить. Тогда выйдет, дело делали одни его люди, а за это надбавочка полагается. Нет худа без добра. И не такой уж страшный этот бывший боксер. Видали, как они сопли по рингу размазывают. Здесь нужны люди другого сорта. На уличных драках замешанные. Зоной тертые.

До участка оставалось не больше полукилометра, когда машина, стоящая впереди, показалась майору знакомой. А когда подъехали ближе, сомнений уже не было — на их пути стояла машина Руслана.

— Притормози около того джипа, — вдруг скомандовал майор водителю давно забытым голосом.

Сидящие впереди невольно вздрогнули и переглянулись.

— Ты что орешь, не глухие.

— Это машина моего парня... — не думая снижать тон, продолжал настаивать Комиссар, к нему снова вернулся командирский голос.

Его в армии вырабатывают сознательно. Бывают ситуации, когда только уверенный голос командира ставит все на свои места и пресекает любые выкрутасы. Писклявых армия не любит.

Все вышли и обступили джип, одиноко стоящий недалеко от начала дачного поселка. Машина так не по-хозяйски была припаркована, что выглядела угнанной и брошенной.

— А это точно его машина? — спросил кто-то из ребят.

— Точно, — подтвердил молчавший до этого Алексей. — Мы с Русланом несколько раз ездили на ней по делам.

Услышав имя владельца, Тимур недовольно посмотрел на Комиссара и сказал, обращаясь к своим ребятам:

— Машины оставим здесь. Оружием пользоваться в крайнем случае. Близко деревня, так что лишний раз не шумите. Сейчас пойдем к сторожу и там все узнаем о машине. Олег, возьми бутылку, чтобы посговорчивее был. А ты, Алексей, кажется, оставайся сторожить машины. Пошли.

Залаявшая собака предупредила хозяина будки о прибытии кого-то. Он оторвался от телевизора и, накинув телогрейку, собрался выйти, но, услышав, что идут к нему, остался.

— Привет, старик, расскажи-ка нам, кто приезжал, кто уезжал, — своеобразно поздоровался Тимур со сторожем.

За ним протиснулись еще двое.

Обращение тому не понравилось. Сторож в свои пятьдесят еще не считал себя стариком. Когда его называли так молодые люди, не обижался. Но сейчас перед ним стоял здоровый мужик всего лет на десять младше.

— Кто дачу имеет, тот и приезжает, — пробурчал сторож.

— Ты чего такой сердитый, хозяин? Выпить хочешь?

— А есть? — спросил сторож и, поняв, что есть, полез в тумбочку за стаканами. — Эх, жизнь наша бекова...

Есть категория «непримиримых» сторожей. Таких берут почтением. Вторая категория — это все остальные. Тут принципиальность меряется дозой.

После выпитого хозяин стал разговорчив. Он начал было рассказывать о своих проблемах, но гости оказались угрюмы, категоричны и неразговорчивы.

— Так кто же все-таки приехал? — еще раз задал вопрос Тимур, сразу наливая вторую и третью дозу. — После первой и второй промежуток небольшой...

— Вчера четверо приехали вместе с Сергей Палычем, здесь и заночевали. А сегодня еще один приехал к ним, но даже заезжать не стал, а сразу за бутылкой поехал. А здесь парень за машиной пришел, а как узнал, куда тот уехал, так тоже в магазин захотел съездить. А мне сказал, будто за закуской поехал. Но я сразу понял, что что-то не так. Обратно они вместе приехали, да, видно, подрались по дороге. Все рожи в крови.

— Ну вот. Говорил, что ничего не знаешь, а сам такой внимательный... Ребята! — кивнул Тимур парням.

Сторож в момент оказался примотанным к стулу липкой лентой.

— Да вы что, мужики, я же с вами по-хорошему...

— И мы с тобой, дед, по-хорошему. Поверь нам. А сейчас сиди тихо и не рыпайся.

На улице их уже ждали.

Майор с одним из парней только что побывал возле дачи Сиривли.

— Думаю, они в доме. Во дворе никого нет, а машины стоят, — доложил бывший майор.

Тимур усмехнулся и, поправив ремень на обозначившемся животе, сказал:

— Ну раз так, пойдем в гости...

На стук в дверь никто не ответил.

— Да там они, куда им деться, притаились голуби, — убеждал Комиссар, настойчиво стуча ногой в дверь.

Его никто не слушал. Решали, как войти в дом...

— Ну не гранатой же взрывать, — с раздражением рассуждал Тимур.

— Надо решетку машиной рвануть, — предложил майор.

— А что... это мысль, — одобрил идею Тимур. — Ребята, вскройте багажники, где-нибудь трос должен быть.

Парни обступили машины, и тогда один из них воскликнул:

— Вот гады...

За передним стеклом одной из них лежал листок бумаги, на котором была наспех нарисована огромная фига, под ней красовалась надпись: «ЕЩЕ УВИДИМСЯ».

С удовольствием побив стекла машин, молча возвращались назад.

Конечно, ничего хорошего в этом не было, но с другой стороны, все живы и здоровы. Такие разборки, хоть и два против одного, нередко заканчивались плачевно. Командная победа — победа общая... А поломанные ребра и выбитые зубы — дело сугубо личное...

Бабки куда веселее с должников выколачивать. Должник, если он не озверел, всегда вину за собой чувствует. Просто не надо загонять его в угол. Никого не надо. В Карабахе загнали. Ни одной дырочки для отступления не оставили, вот весь народ и пошел сражаться. Даже те, кому не с руки.

Замок на двери будки сторожа внес тревогу, и не напрасно. За воротами не стояло ни одной машины...

— Уи-и! — завизжал смертельно оскорбленный Тимур.

А бывший майор даже обрадовался, хоть и не положено было.

Так тебе и надо, полководец хренов, Бартеньев с тебя, гнида, спросит. Ты ж, сопля закавказская, небось предоплату взял и в прикупе на уме держал — Я САМ, — вот тебе по соплям и съездили. Нет, со славянами дело надо иметь. Решив таким образом национальный вопрос, Комиссар гаркнул:

— Давай через поле, может, успеем перехватить!

Бросились через поле.

Одного не учел бывший майор — весна, снег, а под снегом уже подтаявшее месиво. Через сто метров первый потерял лакированный ботинок...

Выстроившись цепочкой, брели вдоль дороги в надежде на попутку. До шоссе еще километра четыре. Уже все, что было на душе, выплеснули наружу и теперь шли молча.

Только майор нет-нет да удивленно спрашивал, почему те под командой Сиривли оставили свои иномарки и как они могли незаметно с дачи драпануть, пока Тимур с ребятами над дверью колдовали.

— Да потому, что на один наш джип десяток такого старья накупить можно, — ответил, не выдержав, один из парней и посоветовал: — Ты молчи лучше...

А в это время Сиривля, сидя в машине рядом с Алексеем, заметил:

— Быстро, Леш, твои коллеги стали на сигналы реагировать.

Им навстречу, завывая всеми четырьмя ведущими, продирался сквозь грязь транспорт физиков. На переднем сиденье, вцепившись руками в поручень, подскакивал на ухабах Заритовский.

Водитель, проводив глазами встречный автобус, не без гордости заметил:

— На то он и ОМОН.

— Ну что, живем, братва?! — оглядел своих Сиривля, и ему почему-то стало так же хорошо, как в последнем бою с братушкой, которого положил-таки на пол вопреки «интернациональному долгу».

## ВМЕСТО ЭПИЛОГА

Тонкой струйкой извиваясь,
Дым струился сигаретный,
И как будто извиняясь
И считая песню спетой,
Он смотрел на темный город,
Он смотрел в бездонность улиц... —

допел магнитофон голосом Ильи из «Миража».

— Кто это? — спросил кровный сын Орла.

— Да так... — не зная что ответить теперь, сказал Никита, продолжая разглядывать настоящего сына.

— Ну вы тут пообщайтесь, а я пойду... — направилась к дверям Ольга.

— Ты... это... разобралась бы с папками. Черт ногу сломит, — то ли приказал, то ли попросил Орел.

Она впервые видела майора в растерянности. Так непохоже на образ мужественного, бескомпромиссного фискала с замашками полководца. Но все-таки осталась.

— Ничего лепит, — подытожил песню второй Илья. — Никогда бы не подумал, что менты современными бардами интересуются. А кто текст писал? Аранжировку?

— Не знаю, — начал раздражаться Орел.

— И сколько же бедолага скрыл от Всевидящего Ока Главного Мытаря?

У Ольги, стоящей спиной перед шкафом с папками, порозовели уши. Прямо скажем, что сынок не нравился с самого начала, с проходной, с того самого момента, как он оглядел ее оценивающим взглядом и по пути до кабинета неуклюже попытался выдать пару комплиментов. Засранец, решила она про себя, но все-таки не ожидала такого от первой встречи отца и сына. Однако это не мое дело, с горечью констатировала она.

— Во-первых, я не Главный Мытарь, а во-вторых...

— Что во-вторых, папа́? Мне это живо-интересно, — даже привстал со стула настоящий сын, произнеся степень родства на французский манер.

Майор стушевался. Действительно, что во-вторых? Что он может сказать сидящему напротив теперь уже настоящему сыну? Прочитать нотацию? Врезать по затылку, чтобы проглотил жвачку? Вполне резонно, если тот пошлет куда подальше. И оправдания не надо подыскивать: где ты был, папа, столько лет, когда я нуждался в твоем совете и крепкой мужской руке?..

— Что будем делать? — внезапно даже для самого себя спросил майор, а получилось, что у всех.

Ольга обернулась.

Даже юный наглец опешил. Он-то как раз ждал нравоучений. И Никита это почувствовал.

— Слушай, не буду читать лекций. Меня можешь не уважать. Я не знаю, чем жил ты эти годы, ты — чем я. Время рассу́дит. Для этого нужно желание. Мое и твое. Разберемся. Но запомни, сынок, одну непререкаемую вещь — отца можно найти в другом человеке, при условии порядочности, конечно, но мать у тебя одна, и нервы ты ей трепать перестань... А вообще-то у меня отпуск через две недели. Если не против, давай махнем к моему дружку на Селигер? На природе лучше думается...

Ответить Илье не пришлось. Зазвонил телефон.

Майор машинально нажал на «SP-PHONE», и в кабинете зазвучал голос другого Ильи.

— «Если кто-то кое-где у нас порой честно жить не хочет, значит, с ними нам вести незримый бой, так положено судьбой для нас с тобой, — служба дни и ночи...»

Орел переключил абонента на трубку.

— Ну что, папан в кавычках, когда и куда везти нетрудовые доходы? Меня арестуют? — услышал он в трубке.

— Перестань паясничать. Мы же с тобой договорились — ты снимаешь клип, я смотрю его по телевизору и одобряю.

— Спасибо, папик... Привет от Динки...

Папик, папан, папá — что за идиотская привычка у нынешних, с раздражением подумал Орел и тут же вспомнил, как звал своих родителей, — «предки» звучало ничуть не лучше.

В кабинет заглянул Русанов:

— Дед вызывает.

— Не Дед, а полковник Дуров, — сдерживая смех, сказал Никита.

— Я и говорю... Дед...

У него же нет внуков, машинально подумал Никита, зато у меня теперь два сына. А деньги?.. На хорошее дело не жалко. Все равно сгинут, и по головке никто не погладит.

Очередное звание ему опять задержат.

Самодеятельность...

*Литературно-художественное издание*

**Игорь Арьевич Голубев**

**СЫН**

Редактор *Н. В. Анашина*
Художественный редактор *О. Н. Адаскина*
Технический редактор *Н. В. Сидорова*
Корректор *Г. Н. Страхова*

**Подписано в печать с готовых диапозитивов 20.10.00. Формат 84×108$^{1}/_{32}$. Печать высокая с ФПФ. Бумага типографская. Гарнитура «Таймс». Усл. печ. л. 16,8. Тираж 10 000 экз. Заказ 2154.**

Налоговая льгота — общероссийский классификатор продукции ОК-00-93, том 2; 953000 — книги, брошюры

Гигиеническое заключение
№ 77.99.14.953.П.12850.7.00 от 14.07.2000

ООО «Издательство «Олимп»
Изд. лиц. ЛР № 065910 от 18.05.98.
129085, Москва, пр. Ольминского, д. 3а, стр. 3
E-mail: olimpus@dol.ru

ООО «Издательство АСТ».
Изд. лиц. ИД № 02694 от 30.08.2000
674460, Читинская обл., Агинский р-н,
п. Агинское, ул. Базара Ринчино, д. 84.
www.ast.ru
E-mail: astpub@aha.ru

**При участии ООО «Харвест».**
**Лицензия ЛВ № 32 от 27.08.97.**
**220013, Минск, ул. Я. Коласа, 35-305.**

**Налоговая льгота — Общегосударственный классификатор Республики Беларусь ОКРБ 007-98, ч. 1; 22.11.20.300.**

**Республиканское унитарное предприятие**
**«Полиграфический комбинат**
**имени Я. Коласа».**
**220600, Минск, ул. Красная, 23.**